D1057620

L’ÉPREUVE DU FEU

Yvon Leduc

L'ÉPREUVE DU FEU

Propos recueillis par
Michel Rudel-Tessier

FIDES

Données de catalogage avant publication (Canada)

Leduc, Yvon, 1947-
L'épreuve du feu
Autobiographie.

ISBN 2-7621-1614-7

1. Leduc, Yvon, 1947-
2. Brûlés – Réadaptation – Québec (Province).
3. Brûlés – Québec (Province) – Biographies.
I. Rudel-Tessier, Michel.
II. Titre.
RD96.4.L42 1992 362.1'9711'092 C92-096838-4

Dépôt légal: quatrième trimestre 1992
Bibliothèque nationale du Québec.

Présentation

Je rencontre souvent des jeunes qui démissionnent devant les premiers obstacles de la vie. Je souhaiterais qu'ils prennent le temps de lire le témoignage d'Yvon. Ils y découvriraient qu'il y a en eux des forces personnelles insoupçonnées, des forces capables de les sortir de n'importe quel malheur.

Ma rencontre avec Yvon a profondément marqué ma réflexion. Ce qui est d'abord remonté en moi, ce qui m'a frappé, c'est la fragilité de la personne humaine: un événement, un accident, un imprévu peut bouleverser du jour au lendemain toute notre vie. Puis, Yvon m'a fait prendre conscience que toute personne possède une force intérieure lui permettant de foncer dans la vie, de tout recommencer. Se refaire un corps, réapprendre à l'utiliser, à communiquer, réapprendre à vivre en société... existe-t-il plus grand défi? Pour réussir, nous avons besoin de cette force intérieure et de l'encouragement de ceux qui nous aiment.

À toi qui liras le témoignage d'Yvon, je te souhaite de découvrir le goût de vivre, de découvrir cette force qui permet de changer la mort en vie, de découvrir que toi aussi tu peux, comme Yvon, donner la vie et donner le goût de vivre.

André Bolduc
animateur de pastorale
à la polyvalente
Euclide-Théberge, Marieville

1

Je m'appelle Yvon Leduc. Je suis né en 1947, un 11 juillet, à Saint-Hilaire, pas très loin de Montréal. Quand je suis venu au monde, j'étais ce qu'on appelait alors (et peut-être toujours) un «bébé bleu». Les médecins parlent de la «mort apparente du nouveau-né», ce qui revient à dire que je présentais toutes les apparences de la mort — mon cœur ne battait pas et je ne respirais pas. En fait, ce qui s'était passé, c'est que j'avais été étouffé par mon cordon ombilical en naissant.

Tous ceux qui étaient présents lors de l'accouchement furent saisis de panique et je fus baptisé de toute urgence dans le lavabo de ma grand-mère, chez qui l'accouchement eut lieu!

Inutile de dire que ma mère était morte d'inquiétude. Ceux qui étaient présents chez ma grand-mère eurent toutes les misères du monde à l'apaiser, mais environ deux jours plus tard, ma condition était devenue à peu près normale. J'étais hors de danger. Ma mère dut considérer que ce baptême éclair dans un très profane évier n'était pas suffisant car elle s'empressa, sitôt remise, de me faire réadministrer les sacrements, mais cette fois à l'église, en bonne et due forme. Encore aujourd'hui, lorsque je reviens à Saint-Hilaire, le curé qui m'avait baptisé m'appelle son «petit nègre»!

J'ai dit que je suis né à Saint-Hilaire, mais en réalité, presque immédiatement après ma naissance, et après avoir séjourné chez ma grand-mère le temps que ma mère se rétablisse, nous sommes allés vivre à Belœil. Cette maison, ça devait être le nid familial, le cocon, le foyer. Malheureusement, ma mère n'y aura pas vécu bien longtemps.

Maman, je l'ai bien peu connue, parce qu'elle est morte quand j'avais cinq ans. Un cancer l'a emportée. Je garde peu de souvenirs d'elle mais je me souviens que chaque soir, vers sept heures, après le souper, nous allions nous agenouiller autour de son lit pour réciter le chapelet en famille. Ensuite, et c'était pour moi un grand bonheur, nous grimpions tous les six sur le lit la rejoindre et nous jouions aux cartes avec elle jusqu'à ce qu'il soit l'heure d'aller nous coucher. Je me souviens qu'elle avait subi des traitements au radium pour traiter son cancer et que son corps portait les traces de brûlure des radiations comme de véritables stigmates. Elle est morte jeune, elle n'avait que 33 ans. C'était un lundi, le jour de la fête du Travail.

Pour mon père, la mort de sa femme fut une catastrophe épouvantable. Il vécut un deuil très pénible qu'il tenta de combattre en se jetant à corps perdu dans le travail. C'était sa façon à lui de lutter contre la peine et le découragement, c'était le meilleur moyen de ne pas penser, de tenter d'oublier.

Il travaillait à la CIL, à MacMasterville, comme journalier. Son métier était assez dangereux puisqu'il devait manipuler de la dynamite, mais l'ouvrage ne manquait pas et il pouvait faire autant d'heures supplémentaires qu'il le voulait. Comme si ça n'avait pas été suffisant, le soir, à son compte, il réparait des poêles et des fournaises à mazout chez des gens. Il travaillait ainsi fréquemment jusqu'à vingt heures par jour.

Après la mort de ma mère, sa famille suggéra à mon père de placer ses enfants comme cela se faisait couramment dans ces années-là. Comment un homme seul aurait-il pu avoir la charge d'un ménage tout en travaillant? Mais mon père n'était pas du tout de cet avis. Il était décidé à nous garder avec lui et rien ni personne n'aurait pu lui faire changer d'avis. Il faudrait s'endetter? Eh bien tant pis, il n'avait pas peur du travail! La famille, pour mon père, c'était sacré et c'est pour cela que je l'adorais. Il avait décidé de se battre de tout son cœur et de toute son âme pour nous garder tous réunis.

Alors il décida d'engager une bonne pour s'occuper de la maison et préparer les repas. Face à l'ampleur de la tâche — nous étions six enfants, je le rappelle, et six enfants pas tout le temps commodes! — la plupart se décourageaient. Il en est passé plusieurs, des bonnes, chez nous, je ne me rappelle même pas de chacune, jusqu'au jour où mon père rencontra Françoise.

Je devais avoir environ sept ans lorsque mon père l'épousa en secondes noces. C'était une toute jeune femme que j'ai aimée comme une deuxième mère. Ils eurent quatre enfants ensemble.

Les choses semblaient vouloir se replacer pour mon père mais le destin devait encore une fois frapper à la porte et alors qu'ils se rendaient à l'hôpital où Françoise devait accoucher de ce qui aurait été leur cinquième enfant, un chauffard vint heurter de plein fouet la voiture du côté du passager.

Le choc fut terrible. L'automobile était lancée à toute allure, elle était puissante et lourde, la collision fut violente. Tout le côté droit de la voiture fut enfoncé comme si une main gigantesque avait voulu l'écrabouiller. Françoise eut le foie perforé par la main du bébé qu'elle s'en allait mettre au monde.

Mon père, miraculeusement, s'en tira indemne et il n'eut que le temps de se rendre à l'hôpital où on constata les décès. Le chauffard était ivre, ma mère et son enfant étaient morts. Ma mère, des suites de sa perforation du foie, et le bébé, lui, avait été noyé dans son sang. Françoise n'avait que 28 ans. C'était un lundi, le jour de la fête du Travail, encore une fois...

À treize ans, j'étais donc à nouveau orphelin et mon père se retrouvait veuf pour la deuxième fois, seul à la tête d'une famille de dix enfants.

2

Si mon père avait noyé son chagrin dans le travail quand sa première femme mourut, cette fois il tenta de le noyer dans l'alcool: il se mit à boire. C'était comme une échappatoire à toute cette douleur, à tous ces souvenirs qui le hantaient. Malgré tout, je dois dire que nous n'avons jamais manqué de rien. Mon père n'était pas devenu un ivrogne, il continuait à travailler comme deux et à prendre soin de nous du mieux qu'il le pouvait. Non, simplement, le soir, quand il était à la maison, il était comme absent, perdu dans ses pensées, ruminant son malheur et soulageant son âme meurtrie dans les vapeurs de l'alcool.

Cette période de déprime dura cinq ou six ans et puis les choses se tassèrent et la vie reprit tranquillement le dessus. Mon père arrêta de boire et il se reprit en mains.

À l'âge de quinze ans, avec mon frère Marcel, j'ai commencé à travailler dans une compagnie de fer ornemental à Montréal. J'avais décidé d'abandonner mes études pour épauler mon père et aussi un peu pour suivre les traces de Marcel qui, lui, avait déjà commencé à rapporter des sous à la maison. Je me disais : «Si moi aussi je travaille, ça fera ça de moins pour papa.» Marcel et moi, nous voyagions matin et soir; on partait de la maison vers 6h30 le matin et on ne revenait qu'à 6h30 le soir. Du lundi au vendredi, 45 heures par semaine. On gagnait 60 sous l'heure...

Je commençais ma vie d'homme. À cette époque, je n'avais qu'une seule chose en tête: avoir le maximum. Et avoir le maximum, pour moi, ça voulait dire avoir de l'argent, avoir des filles et puis avoir des voitures. Eh bien, j'ai eu tout ça. J'ai «fait ma jeunesse», comme on dit.

À force d'économie, j'ai eu ma première auto vers 17 ou 18 ans; c'était une Parisienne que j'avais payée quelque chose comme 3800 dollars. Une vraie folie! Je ne me posais pas trop de questions, je voulais vivre intensément, je vivais pour l'instant présent sans me soucier de l'avenir.

Et puis, j'ai eu mon premier accident de travail. Une pièce que je soudais a éclaté et j'ai perdu l'usage de mes yeux pendant trois mois. On m'a envoyé à l'hôpital Notre-Dame et j'ai été installé dans une cellule capitonnée qu'on appelait la «chambre des fous». Et c'est vrai que j'étais comme un véritable dément. La douleur était tellement atroce que je me frappais la tête sur les murs en hurlant.

Je souffrais terriblement. Puis les choses se sont tassées petit à petit et j'ai été vivre ma convalescence chez une vieille dame, madame Roch, qui a été d'une incroyable gentillesse avec moi. Elle était tellement prévenante, tellement douce et attentive à mes moindres désirs et besoins... Finalement, j'ai commencé progressivement à recouvrer la vue et puis un jour j'ai été rétabli à cent pour cent.

Plus tard, je me suis déniché un nouvel emploi, toujours dans le fer forgé mais pour une autre compagnie, et là j'ai eu un nouvel accident. L'escalier où j'étais monté s'est brisé et j'ai fait une chute de trois étages. J'ai bien cru que mon dernier jour était arrivé! On m'a transporté à l'Hôpital général de Lachine. Les médecins croyaient que ma rate était perforée, mais en fin de compte je m'en suis tiré avec de simples côtes fracturées. Sauf que j'étais tellement mal en point que le personnel de l'hôpital avait fait appeler un prêtre pour que me soit administrée l'extrême onction! Moi, je ne voulais pas mêler Dieu à tout ça, alors j'ai refusé de voir le curé. Ce n'est pas que je ne croyais pas en Dieu; au contraire, j'ai toujours cru en Lui. C'était plutôt comme si j'avais été mal à l'aise de recourir à Dieu en situation d'urgence, alors que je l'avais un peu négligé quand tout allait bien.

Et je suis à nouveau retourné chez ma chère madame Roch subir une autre convalescence pendant quatre longs mois. À mon retour au travail, chez le même employeur, j'ai eu un autre accident encore une fois dans un escalier. Là, j'ai dit à mon patron: «Cette fois-ci, je ne change pas d'escalier, je change de job!»

Les médecins m'avaient interdit la soudure pour

une période d'au moins deux ans à cause de mon accident aux yeux, alors je me suis retrouvé garçon d'ascenseur à l'hôtel Reine-Elizabeth. Plus tard, je suis passé à porteur de bagages et enfin à portier.

À cette même époque, mon père, après 25 ans de travail à la CIL, touchait une bonne pension qui lui avait permis d'acheter un petit restaurant dans le quartier Villeray à Montréal. Il était dans une forme resplendissante, il avait repris goût à la vie, il venait de s'acheter sa première voiture neuve, il voulait rénover sa maison, l'agrandir... C'était formidable. Il était même retombé amoureux.

Mais le destin n'avait pas fini de régler ses comptes avec nous. Mon père était allé chercher du lait chez son frère à Saint-Hilaire lorsqu'une voiture venant en sens inverse de la circulation entra en collision avec lui. Papa fut tué sur le coup. Exactement comme pour ma deuxième mère, un ivrogne avait pris la vie de mon père.

Cette fois, j'ai eu du mal à l'accepter. La blessure a été profonde et terrible. Mon père représentait tellement pour moi, il y avait tellement de choses que je n'avais pas eu le temps ou le courage de lui dire... À ce moment-là de ma vie, mon père passait avant toute chose pour moi.

J'étais fiancé avec une jeune fille prénommée Denise et, paradoxalement, la seule promesse que j'ai jamais consenti à lui faire était que je ne me marierais pas tant que mon père vivrait et que comme mon père vivrait cent ans, je ne me marierais jamais. En fait, j'acceptais de sortir avec Denise parce qu'elle consentait à ce que j'aille rendre visite à mon père quatre fois par semaine à Belœil. Tout ça pour dire à quel point mon père était important pour moi. Alors, sa mort, je l'ai ressentie comme un véritable coup de massue.

Je ne peux pas dire que je me suis révolté contre Dieu ou que je l'ai renié. Non, ça sûrement pas. Reste que j'ai été deux ans sans mettre les pieds dans une église. Pas parce que j'accusais Dieu d'être responsable de ce qui s'était produit. Mais j'avais bien trop mal pour entrer dans une église. Je crois que je ne savais pas trop bien quoi Lui dire, j'étais mal à l'aise, et peut-être aussi qu'au fond de moi je Lui reprochais secrètement d'avoir permis tous ces malheurs.

Après la mort de mon père, j'étais sûr que jamais dans ma vie je ne souffrirais autant. J'ai réalisé bien vite pourtant que le destin me réservait encore bien des épreuves.

* *
*

Et puis il y a eu Colette. Je crois avoir fait comprendre qu'à cette époque de ma vie j'étais plutôt volage, pour ne pas dire très macho! Je pouvais sortir avec quatre ou cinq filles en même temps sans ressentir le moindre remords. Je n'étais même pas assez honteux pour être hypocrite ! Ce qui fait que je vivais cette «polygamie» en toute franchise, sans même essayer de cacher à l'une ou l'autre de mes blondes ses rivales. Je n'avais pas de problèmes de conscience.

Mais Colette, c'était un cas à part. Colette... eh bien, c'était Colette; elle était différente. Et même si elle affectait d'accepter de bonne grâce la situation pénible que je lui faisais subir, je sentais bien qu'au fond d'elle-même elle souffrait en silence de ce partage que je lui imposais.

Et elle était tenace! Moi, sous le coup de la déprime, j'avais cessé de fréquenter toutes mes petites amies. Je n'avais vraiment pas le cœur à la bagatelle. Mais Colette ne me lâchait pas, elle s'accrochait. Avec toute sa douceur, avec sa gentillesse, sans jamais s'imposer pourtant, elle était là, toujours au bon moment, s'insinuant en moi à mon insu, presque malgré moi.

Quand j'y pense je n'en reviens pas! Est-ce que c'est mon accident aux yeux qui m'avait rendu à ce point aveugle? Toujours est-il que la lumière a bien dû finalement m'apparaître puisque nous nous sommes mariés un beau samedi matin de 1970 à l'église Saint-Rédempteur, rue Adam à Montréal. C'était le 17 octobre, le jour de l'assassinat du ministre Pierre Laporte par le FLQ.

* *
*

Colette et moi, très peu de temps après notre mariage, nous avons décidé de nous occuper d'une petite fille, Caroline, dont la mère était une fille-mère que Colette connaissait. Au début, on devait la garder cinq jours par semaine et puis, on a fini par la garder en permanence. Caroline était devenue notre enfant. Et puis un jour, sa mère est revenue dans le portrait.

Nous, on n'a vraiment rien compris à ce qui se passait. C'était durant le temps des fêtes et on a reçu un coup de fil de sa mère qui nous disait qu'elle voulait que

Caroline aille passer Noël avec elle. Presque neuf ans sans donner de signe de vie et puis tout à coup, bang! elle voulait revoir sa fille.

Colette et moi, ça nous a fait tout drôle. On en était arrivé à avoir presque complètement oublié l'existence de cette femme. Caroline, même si on ne l'avait jamais adoptée officiellement, même si c'était toujours sa mère biologique qui touchait les chèques d'allocation familiale, pour nous, c'était notre fille complètement, à part entière. Ce téléphone inattendu nous avait laissé un goût amer parce qu'il réveillait de vieux souvenirs, des fantômes, des choses auxquelles on n'aimait pas beaucoup penser.

Mais je suis parti la conduire. Je me disais qu'après tout c'était sa mère, que peut-être elle avait eu un sursaut d'humanité, et de toute façon je me disais que je n'avais pas le droit de lui refuser ça. Et pourtant, j'aurais eu des excuses: il faisait, ce jour-là, une tempête épouvantable. La neige tombait en rafales de poudrerie et les routes étaient impraticables. Mais j'ai pris Caroline avec moi et j'y suis allé.

Elle devait ne rester que quelques jours là-bas. Mais le temps passait et nous n'avions pas de nouvelles. Au début, ça nous a angoissés, puis très vite, c'est devenu carrément la panique! J'ai décidé de retourner la chercher mais, comme je le craignais, elle avait déménagé. Elle était partie sans laisser d'adresse.

Sans crier gare, comme ça, du jour au lendemain, Caroline nous était arrachée. Nous l'avions recueillie à l'âge de neuf mois, nous l'avions élevée, nous lui avions donné notre amour et voilà que neuf ans plus tard sa mère resurgissait et nous la volait. Parce que pour nous il s'agissait bien de ça: c'était un rapt pur et simple.

Je ne l'ai tout simplement pas pris. J'ai dit à ma femme que j'allais tout faire pour la retrouver. Ça m'a pris deux ans, mais j'ai finalement trouvé son adresse. Elle habitait à Lachute. J'ai sillonné toute la ville dans l'espoir de la retrouver, mais en vain. Je suis alors allé au bureau de poste et j'ai dit au maître de poste:

— Je veux avoir l'adresse de cette femme-là.

— Ça, je regrette, mon ami, mais je peux pas faire ça. C'est interdit par le règlement.

— Écoute bien ce que je vais te dire: le règlement je veux pas le connaître, ça m'intéresse pas . Par contre, il y a une chose qui m'intéresse, c'est de retrouver cette femme-là.

— Insiste pas; je te dis que je peux pas t'aider.

Je commençais à m'énerver sérieusement. Il continuait à répondre qu'il n'avait pas le droit de divulguer l'adresse des gens. Alors je me suis fâché et j'ai mis les points sur les i.

— Là tu vas m'écouter bien comme il faut. Cette femme-là, elle a kidnappé mon enfant. Est-ce que tu peux comprendre ça ? Ça fait je sais pas combien de temps que je la cherche, et puis là je sais que j'y suis presque arrivé. Alors tu vas gentiment me donner son adresse, O.K.?

J'étais dans un tel état de surexcitation que je devais vraiment avoir l'air menaçant. Je crois bien avoir été convaincant parce que finalement, il a cédé et il m'a donné son adresse.

Nous nous sommes donc précipités à cette adresse

et nous avons vu Caroline qui était à bicyclette juste devant la maison. Nous étions bouleversés. Mais nous ne devions pas agir précipitamment. Nous avions l'adresse, nous l'avions vue, nous avions constaté qu'elle était bien, pour l'instant c'était suffisant.

De retour à la maison, ma femme a écrit à la mère de Caroline pour lui dire que nous les avions retrouvées et que nous allions faire valoir nos droits: que dorénavant, nous pourrions la voir et communiquer avec elle comme et quand nous le souhaiterions. Finalement, après bien des discussions — et parfois même des engueulades — nous avons réussi à trouver un terrain d'entente.

Je ne pourrais jamais arriver à décrire la joie que nous avons ressentie au moment de ces retrouvailles. Les choses se sont tassées par la suite en ce qui concerne les rapports que nous entretenions avec sa mère — ça valait mieux pour tout le monde, mais surtout pour Caroline. Nous ne voulions pas que Caroline fasse les frais des querelles que nous avions ou aurions pu avoir avec sa mère, alors nous avons relativement bien accepté ce «moyen terme».

Aujourd'hui, Caroline est mariée et elle vit en Ontario. Malgré la distance, nous tâchons de nous voir le plus souvent possible. Nous l'aimons toujours comme si elle était notre fille, mais n'est-ce pas ce qu'elle a toujours été? Et je crois pouvoir affirmer que de son côté, elle nous considère un peu beaucoup comme ses parents.

Mais nous avons eu aussi d'autres enfants: d'abord Natasha, puis Annick, et enfin, après que Caroline fût partie, une deuxième Caroline (décidément, je ne voulais pas la lâcher, celle-là!). Toujours des filles!

* *
*

Je dois dire que, pendant tout ce temps, la vie me traitait bien. Nous n'avons jamais manqué de rien; j'avais de l'argent, je me payais des autos neuves et je suis devenu propriétaire de ma première maison à l'âge de 24 ans. Mais je travaillais beaucoup pour arriver à régler toutes les factures. J'ai dit un peu plus haut que ma philosophie, à ce moment-là, se résumait au «toujours plus». J'en voulais beaucoup, et tout de suite. Pour moi, bien sûr, mais aussi et surtout pour ma femme et pour mes enfants. Alors je me défonçais au travail.

Je m'étais déniché un poste de soudeur chez Drummond et les journées commençaient tôt. Je commençais à travailler dès sept heures et je finissais mon boulot à trois heures et demie. Comme si ça n'était pas suffisant, j'avais fondé, avec un ami, une petite compagnie. Alors, le soir, je rénovais des maisons, parfois jusqu'à minuit. Inutile de dire que les nuits étaient courtes!

J'ai fait ça pendant une dizaine d'années. Je disais à Colette: «À 45 ans, j'arrête de travailler. Avec le fonds de pension et les économies, tu vas voir, on ne se cassera pas la tête.» Évidemment, ma vie familiale en souffrait beaucoup. Les moments d'intimité avec ma femme étaient plutôt rares, merci. Quant à mes filles, je ne les voyais carrément pas. Je pouvais passer quinze jours et même trois semaines sans avoir de contacts réels avec elles. Tout ce que je pouvais faire, c'était d'aller les embrasser dans leur lit quand j'arrivais la nuit à la maison. Le matin, j'étais déjà parti quand elles se réveillaient. J'étais devenu un étranger.

Mais je me disais que si je menais une vie de fou à ce moment-là, j'allais pouvoir me rattraper à 45 ans. Et c'était ça mon moteur, c'était ça qui me motivait. Et puis je me disais, pour me déculpabiliser, qu'entre-temps ma famille ne manquait de rien. Chez nous, on ne se privait pas, non monsieur! Et qui donc voudrait d'un père ou d'un mari fainéant?

Et puis j'adorais mon métier. J'aimais ce travail de soudeur, ce mariage du feu et du métal. Les gens ne se rendent pas compte à quel point c'est difficile et exigeant. J'aimais ça parce qu'il y avait un côté créatif dans ce boulot, j'étais sans cesse confronté à des situations et des problèmes différents. Je n'aurais pas pu supporter la routine, faire sans cesse les mêmes objets, poser toujours les mêmes gestes... Et puis je réalisais quelque chose de concret, j'avais la satisfaction immédiate de pouvoir constater que j'avais fabriqué quelque chose de bien, de beau, dans les règles de l'art. La satisfaction de l'artisan devant le travail bien fait, quoi!

Bref j'aimais — et j'aime encore — ce travail malgré le fait que c'était un métier dangereux. J'ai déjà parlé de trois accidents que j'avais subis mais en réalité, des accidents de travail, j'en ai eu une bonne vingtaine.

Oui, j'aimais mon métier de soudeur même si c'est à cause de ce métier que ma vie a basculé, que mon univers s'est écroulé. Il a bien failli me tuer, ce métier, et peut-être bien que j'ai subi une petite mort dans cette épreuve du feu. Il a eu ma peau, ce métier, c'est vrai; mais en tout cas, il n'a pas eu mon âme.

3

Mardi, 17 janvier 1984, 5h30 du matin. Je me lève et me prépare à aller travailler, comme je le fais chaque jour depuis déjà 17 ans. Colette s'est levée avant moi et je sens la bonne odeur du café dans la cuisine. Je passe à la salle de bains, je prends une douche rapide et je me rase. À 6h10, je suis prêt à partir pour l'atelier.

A 6h45, j'arrive au travail. Je passe d'abord au vestiaire où je change rapidement de vêtements. Je descends ensuite rejoindre les gars à la cafétéria, histoire de prendre un dernier café avant d'entreprendre le boulot. On discute un peu, de la pluie et du beau temps, de la victoire des Canadiens sur les Nordiques...

Dès sept heures, je suis devant ma «machine». Je suis ce qu'on appelle opérateur-soudeur sur un rouleau où sont façonnées des plaques d'acier qui serviront à la construction de réservoirs. C'est un métier exigeant mais que j'aime, entre autres parce qu'il me permet de réfléchir et de penser à toutes sortes de choses. Je me souviens qu'en m'installant au travail, ce matin-là, je pense aux préparatifs de l'anniversaire de ma fille Natasha que nous célébrerons la fin de semaine suivante. La veille au soir, nous avons discuté de la fête, ma femme et moi: quoi acheter, qui inviter...

Vers les dix heures, le contremaître arrive et il me demande si je veux bien aller l'aider à souder dans des réservoirs déjà fabriqués. Il s'agit de réservoirs d'une dizaine de pieds de longueur et d'environ sept pieds de diamètre. À l'intérieur, il y a des plaques de ballast pour empêcher le liquide de trop ballotter et il faut qu'on installe des tuyaux. Il faut d'abord les couper à la torche et puis les souder aux réservoirs.

Tout se passe très bien jusqu'à l'heure du dîner: en une seule matinée, on a déjà terminé un réservoir au complet. Après avoir mangé, je retourne travailler à un autre réservoir. Je continue à souder. Tout se déroule normalement jusqu'à la pause d'une heure et demie. Là, je vais rejoindre les autres pour me reposer pendant dix minutes et j'en profite pour parler un peu avec mon frère qui travaille pour la même compagnie. Après une dernière blague, je retourne à mon poste.

* *
*

Après ça, il y a un grand trou. Je n'arrive pas à me rappeler. Est-ce que j'étais en train de souder mon tuyau ou bien est-ce que j'étais en train de le brûler à la torche, je ne le saurai probablement jamais. La seule chose dont je me souvienne avec certitude, c'est de cette terrible chaleur dans mon dos, de cette horrible sensation de brûlure.

Tout de suite, je constate que ma chemise est en feu. Mon premier réflexe est de réagir, mais je suis debout, coincé, incapable de me rouler par terre pour éteindre le brasier parce que le sol est couvert de tuyaux, d'outils et de toute sorte d'appareils. Mais je ne panique pas. Je me souviens que toute cette scène se déroule comme au ralenti, presque comme si j'étais un observateur extérieur.

Je me dis: «Il faut que j'enlève ma chemise.» Mais le feu gagne du terrain; il progresse à un rythme fou. Bientôt, il me ceinture la taille. Et moi, j'ai des gros gants et un gros casque de soudeur qui me gênent terriblement dans mes manœuvres. Alors je commence par me débarrasser de mon casque. Et puis j'arrive à arracher mon gant droit. Mais le feu se propage rapidement et la douleur commence à devenir insoutenable. Malgré tout je tiens bon.

Presque d'une seule main, j'essaie d'enveler ma chemise. Peine perdue, les flammes me lèchent le ventre et la poitrine. Je sens le feu qui monte vers moi, je suis devenu un bûcher, la douleur est insoutenable, indescriptible, indicible, au-delà de ce que l'on peut concevoir, j'ai l'impression que mon cerveau va éclater. En même temps, je me répète: «Ah, non! Ça ne se peut pas! Je vais mourir brûlé. C'est pas possible. Je vais mourir brûlé!»

Après, le feu, dans sa course, remonte jusqu'à ma barbe. Je sens les poils qui roussissent. Ensuite, c'est mon nez qui y passe puis ce sont mes cheveux qui s'enflamment. Je me sens fondre, littéralement fondre! Je me dis: «Cette fois c'est fini, vraiment fini.» Il y a quelque chose d'impossible, d'irrationnel à se sentir fondre. C'est une sensation que l'esprit humain ne peut accepter, assimiler. C'est une douleur qui va au-delà de la souffrance permise.

Non seulement les flammes brûlent-elles ma chair, mais la fumée qui s'échappe vient me brûler les entrailles. Je n'arrive pratiquement plus à respirer, mes poumons sont comme des soufflets de forge.

Je ne saurais trop expliquer pourquoi mais, instinctivement, je me recroqueville sur le sol en fermant les yeux, comme un fœtus, et je pense: «Ça y est, là je m'en vais pour de bon.» Et au fond, je me dis que tant mieux, ça sera une libération, je ne veux plus souffrir comme ça, c'est trop pour moi, je ne veux plus qu'être libéré de cette douleur, cette maudite douleur.

Mais quelque chose intervient en moi, une force, une puissance, je ne sais pas d'où ça vient ni ce que c'est. Comme si je n'étais plus tout à fait maître de mes actes, une voix s'élève en moi et je trouve l'énergie de pousser un long cri, un hurlement, un rugissement.

Après ce dernier effort, je me referme sur moi-même, toujours couché à même le sol, persuadé que c'en est fini, que je pars pour le grand voyage. Les yeux fermés, je sombre lentement.

* *
*

Soudain, après ce qui aurait pu être une minute ou un siècle, je ressens une sensation de froid intense. Je me demande ce que c'est et d'où ça vient, puis j'ai l'intuition que c'est mon frère, que c'est Marcel qui a entendu mon cri et qui est venu me sauver. C'est lui, ça ne peut être que lui, je le sais, j'en suis sûr.

Et oui, c'est Marcel qui a réussi à passer un boyau d'arrosage par un des trous du réservoir et qui est parvenu à éteindre l'incendie. Il a entendu mon appel! Je parviens à lui dire:

— Marcel, prends-moi par la ceinture, amène-moi vers la sortie, vers le trou d'homme, que je puisse sortir d'ici.

Et je n'oublie pas d'ajouter:

— Mais ne me touche surtout pas!

Alors mon frère m'emmène vers la sortie, en me saisissant par la ceinture comme je le lui avais demandé, et tout en faisant très attention à ne pas me toucher. Ensuite, il me hisse à bout de bras vers la sortie et il demande à un des gars — il s'appelait Maurcie — de me tirer de là en me prenant pas la main, celle qui n'avait pas brûlé. Mais comme l'ouverture est particulièrement exiguë et que je dois forcer mon passage à travers le trou d'homme, je sens mes chairs fondues qui se détachent de mon corps, qui s'arrachent de moi. Mon Dieu, je me décompose!

Finalement, après des efforts dont je ne me serais pas cru capable, je réussis à m'extirper du réservoir. Lentement, avec mille précautions, je descends l'échelle dans un silence de mort. En bas, ils sont tous réunis et, pendant que je descends les échelons, ils me regardent. Et moi, je les regarde me regarder. Et à ce moment-là je comprends que c'est sérieux. Sauf que ça reste confus dans ma tête et je me répète: «Voyons, je ne suis pas mort, ça ne doit pas être si grave que ça!» Et comme pour m'encourager j'ajoute: «Ça fait mal, mais ça faisait plus mal tout à l'heure. Peut-être qu'après tout ça ne sera pas grand-chose.»

Mais plus je regarde mes camarades, plus je me pose des questions et moins je crois à mes belles paroles. Je les regarde, et ce que je vois dans leurs yeux ne me plaît pas beaucoup. Je les connais, les gars, il y en a même plusieurs que je considère comme de véritables amis. Ils sont tous là, silencieux, certains me dévisagent, d'autres gardent obstinément les yeux rivés au sol. Et pourtant, ce ne sont pas des tendres, ce ne sont pas des gars à s'émouvoir d'un rien. Ils en ont vus d'autres, des accidents de travail. Pour les soudeurs, les accidents, ça fait partie de la vie, ce sont les risques du métier. Alors, qu'est-ce qui est arrivé exactement? qu'est-ce que j'ai? Je veux le savoir tout de suite.

Tant bien que mal, je me dirige vers le petit local où l'on prodigue les premiers soins. J'ai une idée fixe, j'en oublie presque ma souffrance: je dois trouver un miroir. Une fois dans l'infirmerie, je me dirige tout droit vers le lavabo. Je lève les yeux vers la glace et là... Ah, mon Dieu!

J'ai une momie égyptienne devant moi. Ça doit être ça l'explication, c'est sûr, il faut que ce soit ça. En tout cas, ça ne peut pas être moi. Non, ça c'est impossible. Je n'ai plus ni cheveux ni oreilles; pratiquement plus de peau. Ça coule de partout, ça pend, c'est une bouillie, ça n'a plus rien d'humain! Je n'arrive pas à distinguer de visage dans cet amas de chairs flasques et décomposées.

Comme dans un rêve, j'entends la voix de mon frère derrière moi: «L'ambulance est arrivée, Yvon. Ça va aller, tu vas voir, ça va aller, ce n'est pas grave...»

4

Un peu plus tard, les infirmiers sont arrivés. Ils m'ont installé sur la civière et ils m'ont fait monter dans l'ambulance. Mon frère m'accompagnait. On m'a conduit jusqu'au Centre hospitalier Pierre-Boucher, à Longueuil. Arrivé à l'urgence, on a jugé que mon état était trop grave et on a refusé de me prendre. Nous sommes repartis en ambulance jusqu'à l'Hôpital Charles-Lemoyne, cette fois à Greenfield Park. Là aussi, même scénario, on a refusé de m'accepter. J'ai alors été acheminé vers l'Hôtel-Dieu, à Montréal. Inutile de préciser que ces déplacements et tout ce temps perdu m'ont beaucoup fatigué et n'ont rien fait pour abréger mes souffrances.

À l'Hôtel-Dieu, le médecin qui s'est finalement occupé de moi n'en revenait pas: comment était-il possible que je ne me sois pas évanoui? Il m'a demandé si mes douleurs étaient supportables et je lui ai répondu qu'elles commençaient à devenir franchement intolérables. Ça faisait plus de deux heures que l'accident était arrivé. Alors, enfin, le médecin m'a fait une piqûre. Quel soulagement! J'en arrivais presque à croire que j'étais guéri tant la douleur s'en allait!

Et avec la souffrance qui partait, la vie reprenait un peu le dessus avec même une certaine dose d'optimisme. Je me souviens d'avoir pensé: «C'est pas si mal. Ça va aller. Si la douleur s'en va rien qu'avec une piqûre, ça ne sera pas trop mal.»

Et c'est à ce moment-là que je suis tombé KO. J'ai sombré dans un profond coma. Pendant trois mois.

* *
*

C'est drôle à dire, mais je garde au moins un souvenir de mon coma. Mettons les choses au clair: je ne suis pas un gars particulièrement mystique, je ne crois pas aux fantômes ni aux lutins, et je suis pas mal convaincu que la clé de la plupart des grandes énigmes se trouve ici-bas, sur notre bonne vieille terre.

Cela étant dit, j'ai pourtant connu une expérience très étrange. Je me rappelle que j'étais étendu sur mon lit d'hôpital et puis tout à coup je me suis vu, j'ai vu mon enveloppe, comme si j'observais quelqu'un d'autre. Je planais au-dessus de mon propre corps. J'avais des tubes dans le nez, des tubes dans la bouche, des aiguilles plantées partout.

En même temps que je me regardais, une délicieuse sensation de libération s'emparait de moi, une sensation de légèreté, de bien-être et de paix. J'étais enfin soulagé de toutes mes douleurs. Et puis mon enveloppe charnelle s'est mise à gonfler, gonfler, comme un ballon de plage que l'on souffle. Ma tête était devenue aussi large que mes épaules et ça continuait à enfler. Et je sentais que je m'en allais. Tranquillement, tout doucement, je m'en allais. Je me disais: «Jamais je n'entrerai dans cette enveloppe. C'est fini. Ah non! Je suis bien trop souffrant.»

Que s'est-il passé ensuite? Il faut croire qu'on n'a pas voulu de moi là-haut, parce que je suis toujours bien vivant et que mon esprit est redevenu soumis aux mêmes lois de la gravité qu'avant! Quand même, ce sont des expériences desquelles on ne ressort plus tout à fait le même.

* *
*

C'est mon frère Marcel qui eut la tâche d'annoncer la nouvelle à Colette. Femme de soudeur, habituée aux accidents, sa première réaction fut de penser qu'il ne s'agissait que de blessures mineures. Mon frère n'avait pas eu la force de lui expliquer la gravité de mon état et il avait préféré l'emmener directement à l'Hôtel-Dieu. Au moment même de franchir le seuil de ma chambre elle ne savait rien de mon état et elle croyait encore à des blessures superficielles. Elle ignorait même que j'avais été brûlé! Mon frère l'a tout de même retenue juste avant qu'elle entre dans ma chambre et il lui a glissé, dans le même souffle:

— Colette, Yvon a été brûlé. Je te préviens, c'est assez grave.

Elle est entrée. Lorsqu'elle m'a vu, couché dans

mon lit, elle s'est retournée vers l'infirmière et, avec un sourire gêné, elle a dit:

— Excusez-moi, nous nous sommes trompés de chambre.

— Non, madame, c'est bien votre mari.

— Ça ne peut pas être mon mari, c'est un Noir.

On s'est vite chargé de lui expliquer que non, il s'agissait bel et bien de son mari et pas d'un Noir, mais que son mari était devenu ce qu'on appelle un grand brûlé. Il faut dire que même Marcel m'a avoué qu'il ne m'avait pas reconnu à ce moment-là tellement j'avais enflé depuis la dernière fois qu'il m'avait vu, dans l'ambulance.

* *
*

Alors commencèrent de longs mois, des années de réhabilitation et de patiente chirurgie. En tout, j'aurai passé plus de vingt mois coupé du monde. Ce fut aussi pour ma femme le début de l'enfer. Elle vivait au gré des hauts et des bas de ma condition: de temps à autres, elle recevait un coup de fil lui annonçant une aggravation soudaine de mon état. Pour elle, c'était vraiment atroce. Elle vivait dans le doute, dans la crainte perpétuelle qu'on lui téléphone un bon matin pour lui dire que son mari était mort.

Par exemple, un jour elle reçut un appel lui signifiant que j'étais cliniquement mort (les médecins décidèrent de me maintenir en vie et je m'en suis sorti — sage décision!). Un autre jour, ils lui dirent qu'ils se trouvaient devant l'obligation de m'amputer parce que mon bras s'était dangeureusement infecté. Il fallait couper à partir de l'épaule. Le surlendemain, un autre appel l'informait qu'en fin de compte l'amputation n'avait pas été nécessaire. Sauf qu'entre-temps, Colette, elle, ne vivait plus.

Parfois, elle recevait des appels lui annonçant que mon état était devenu tellement critique qu'il valait mieux qu'elle se dépêche de se rendre à l'hôpital. Elle arrivait de toute urgence et elle devait insister et même supplier pour qu'on me maintienne en vie. La pauvre! Ce qu'elle ne savait pas, c'est que moi je ne voulais pas revenir. Je me demande même si elle aurait fait tant d'efforts si elle avait su à quel point je n'avais pas envie de lutter. J'avais baissé les bras, j'avais lancé la serviette, je voulais juste avoir la paix...

Au bout de deux mois ou de deux mois et demi, les médecins ont donné rendez-vous à ma femme à l'hôpital. «Madame, ça fait déjà longtemps que votre mari va de coma à semi-coma. Nous pensons qu'il n'y a plus rien à faire pour lui, nous allons débrancher les appareils...» Colette ne l'a pas trouvé drôle. Elle a rugi comme une tigresse, elle a fait tous les temps, bref elle leur a dit qu'il était absolument hors de question qu'on me débranche et qu'on me laisse mourir comme un chien. Alors, ils m'ont maintenu en vie. Mais dans leur esprit, j'étais devenu une «affaire classée»; ils n'avaient aucun doute sur l'issue de toute cette affaire. La preuve, c'est que ma femme reçut un autre coup de fil quelques jours plus tard. C'était encore un des médecins.

— Écoutez, madame, raisonnez-vous. Ça ne donne absolument rien de le maintenir comme ça: même s'il arrive à survivre, il va être comme un légume tout le reste de sa vie. Son cerveau est affecté, le scanner a été formel.

Mais Colette, envers et contre tous, tenait son bout. Elle résistait. Une autre fois, alors qu'elle était à mon chevet, ils sont entrés dans la chambre simplement pour lui demander une millième fois s'ils pouvaient me débrancher. J'ai regardé Colette et je lui ai demandé: «Me laisses-tu partir?» Elle a répondu: «Non.» Je l'ai regardée dans les yeux et je lui ai dit: «O.K.» Et puis je me suis rendormi. J'ai sombré à nouveau dans un profond coma pendant plus de deux semaines.

J'ai donc été dans le coma pendant environ trois mois. Ensuite, j'étais la plupart du temps dans un état semi-comateux, durant à peu près deux mois.C'est à cette époque que les médecins ont commencé à m'administrer de la morphine. Là, ça a été franchement épouvantable. La morphine devait soulager mes douleurs mais pendant environ un mois, j'ai subi des cauchemars, des visions, des délires, des hallucinations terribles. C'était presque pire que les douleurs que j'avais connues lors de l'accident.

Je me sentais devenir fou, j'étais dans un monde à part, un monde de cauchemars, un monde complètement schizophrène. Je rêvais tout éveillé qu'on me faisait frire dans une poêle; ou bien on me tirait dessus: je recevais des balles dans la tête, dans la bouche, mais je ne mourais pas, je ne faisais que souffrir. On me coupait les bras, on me coupait les jambes, on m'incendiait. Bizarrement, mes cauchemars étaient souvent hantés par les membres de ma propre famille. Les séquelles ont duré longtemps; en fait, j'ai été près de deux ans à entretenir des frayeurs et à cultiver certaines craintes, en particulier relatives à mon frère Marcel, lui qui, pourtant, m'avait tant aidé.

Pendant longtemps, aussitôt que j'entendais des bruits de pas, j'étais replongé dans une profonde angoisse. Il a fallu que je fasse de très grands efforts pour me débarrasser de ces peurs et pour me persuader que ce n'étaient que des «bad trips» provoqués par la morphine.

* *
*

J'étais donc, à cette époque, dans un état semi-comateux. Un jour, j'étais relativement lucide, un autre, je perdais la carte. Ça faisait une éternité que j'étais cloué au lit et les médecins décidèrent de tenter de me faire bouger un peu. Un physiothérapeute entra donc dans ma chambre et il me dit: «Aujourd'hui, tu vas marcher.» Moi, j'ai pensé: «Si je réussis à marcher, je vais pouvoir trouver un miroir. J'ai eu un accident hier et j'aimerais bien me voir.»

J'étais tellement confus que je croyais n'être à l'hôpital que depuis 24 heures! Ça faisait plus de trois mois que j'avais eu mon accident et j'avais complètement perdu la notion du temps! J'ai soulevé les draps qui me recouvraient et j'ai regardé mes jambes. Seigneur, quel spectacle! Je n'arrivais pas à y croire! Mes jambes? Plutôt des cure-dents, oui. Comment espéraient-ils que j'arrive à marcher avec ça?

Ils sont arrivés dans ma chambre, un infirmier et

une infirmière, et ils ont entrepris de me soulever et de me tirer hors du lit. Moi, je ne pouvais que me laisser faire, j'étais tellement faible. Quand mes pieds ont touché le sol, j'ai gémi. J'ai réussi à leur dire:

— Je n'y arriverai jamais, laissez-moi, ça fait trop mal, recouchez-moi.

— Yvon, tu vas essayer de faire au moins un pas ou deux. On va commencer tranquillement. Ne t'inquiète pas. Fais seulement un petit pas et on va te reposer.

J'ai vite compris que quand on m'avait dit que j'allais marcher le jour même, c'était une façon de parler! J'ai réussi à faire quatre ou cinq pas, et puis j'ai été tellement épuisé et la douleur aux hanches, aux jambes et aux pieds a été tellement forte que j'ai presque tourné de l'œil. J'étais complètement ankylosé et je n'arrivais plus à maintenir mon équilibre.

N'empêche qu'on a fait ça tous les jours pendant presque un mois. Durant tout ce temps, j'étais sous l'effet de la morphine et donc, je n'étais pas très lucide. En fait, j'ai vécu tout ce temps comme dans une sorte de rêve. Je ne savais pas où j'étais et je n'avais pratiquement aucune notion du temps. C'est dire que je n'étais pas encore parfaitement lucide!

Reste qu'au bout d'un certain temps, je suis arrivé à marcher, je devrais dire à progresser, seul. Je me traînais en m'agrippant à l'espèce de patère où sont accrochés les sacs de sérum et en me tenant le long des murs. Les infirmiers n'étaient jamais bien loin, et après quelques pas, ils m'aidaient à retrouver mon équilibre puis ils me ramenaient me coucher dans ma chambre.

Quelque temps plus tard, j'ai demandé:

— Il doit bien y avoir une bicyclette d'exercice quelque part, est-ce que je pourrais en faire?

Louise, la physiothérapeute qui s'occupait de moi et qui m'a tant aidé, m'a répondu:

— Pas de problème. C'est pas moi qui vais t'interdire de faire de l'exercice. Tout ce que tu peux faire, fais-le. C'est comme ça que tu vas t'en sortir.

La bicyclette se trouvait dans une petite pièce isolée où il n'y avait personne. On m'y amenait et on me laissait seul sur la bicyclette.

J'ai dit que je n'avais pas beaucoup la notion du temps et que mon degré de lucidité connaissait des hauts et des bas. C'est vrai. Sauf que j'avais une idée en tête, une idée qui ne me lâchait pas, qui tournait presque à l'obsession: je voulais à tout prix dénicher un miroir et voir de quoi j'avais l'air.

Mais je n'en trouvais pas. J'avais espéré qu'il y en aurait un dans cette salle d'exercice, mais non. Jusqu'au jour où, pour je ne sais quelle raison, on me transféra de chambre. Là, il y avait un petit lavabo et au-dessus, se trouvait un miroir. Enfin! J'avais le cœur qui débattait. J'avais retrouvé assez de force dans les jambes pour, quoique péniblement, me traîner jusqu'à la glace.

C'était comme si je recevais un coup de masse en plein visage. Le monde basculait, mes jambes, déjà pas bien fortes, cédaient sous mon poids. Je n'ai eu que le temps de m'accrocher à la commode pour ne pas perdre l'équilibre et, en titubant, je me suis rendu jusqu'à mon lit.

Je me suis couché. Il y avait comme une tempête dans ma tête, les idées s'y bousculaient, des images la traversaient, des sentiments contradictoires y naissaient. Je me répétais: «C'est quoi ça? C'est quoi l'affaire?» Je n'avais pas de bouche, pas de nez, pas d'oreilles, pas de cheveux.

Après ça, il y a eu une longue période où je suis retombé dans un état où je ne reconnaissais plus personne et où je n'avais plus du tout la notion du temps.

Mais un jour, le Dr Papillon, mon chirurgien, est entré dans ma chambre. Je me sentais mieux et je ne pensais plus à l'incident du miroir. Je lui ai dit:

—J'ai eu un accident, n'est-ce pas?

Il m'a répondu: «Oui.» J'ai repris:

— Pensez-vous que je vais pouvoir travailler dans deux semaines?

Le Dr Papillon était penché sur moi et à sa mine, je voyais bien qu'il ne comprenait pas du tout ce que je lui disais. Tout à coup, son visage s'est éclairé et il a compris: j'étais persuadé que l'accident venait de se produire; en fait, je croyais être à l'hôpital depuis la veille. Et je lui demandais si j'allais pouvoir reprendre mon travail dans quinze jours! Il m'a tout simplement répondu:

—On verra. Pour l'instant, reposez-vous et on verra plus tard.

C'en est resté là pendant une semaine ou deux et puis, progressivement, je suis revenu à la réalité. Je reconnaissais ma femme mais je ne me rappelais plus du tout combien j'avais d'enfants. Quatre? Dix? Douze? Je n'en avais aucune idée.

Et Colette continuait à m'encourager. Elle me disait: «Ça va revenir progressivement, ne t'en fais pas.»

Yvon Leduc, entouré de ses filles et de ses neveux, six mois avant son accident.

Yvon, en compagnie de sa fille Natacha, en juillet 1992.

Un jour, je me suis décidé à retourner au miroir. Le souvenir que je conservais de moi était confus et là, je voulais savoir. J'y suis donc retourné, avec beaucoup d'appréhension au cœur, mais malgré tout bien décidé. Et cette fois, je me suis vu, réellement vu.

Ce fut tout un choc! C'était dur, c'était une véritable torture morale que je m'imposais, mais je me suis forcé à me regarder longtemps. Plusieurs fois j'ai voulu détourner la tête mais à chaque fois j'arrivais à garder les yeux rivés au miroir. Les yeux... C'était bien la seule chose qui restait de moi. Le reste était monstrueux.

À partir de ce moment-là, il a fallu que je décide si oui ou non j'allais accepter de vivre dans ce corps-là. La question, pour moi, était au fond bien simple, et elle se résumait comme ça : je vis ou bien je me suicide. C'était une réflexion dépourvue de passion, un froid calcul. Je pesais le pour et le contre.

J'ai passé de longs moments à penser à ça et finalement, j'ai pris une décision: la vie ne valait pas la peine d'être vécue, c'était trop difficile, il y avait eu trop de souffrances et je savais qu'il y en aurait encore tellement... Non, il valait mieux que je m'en aille, ce serait mieux pour tout le monde. Pourquoi passer sa vie à avoir mal? On ne peut pas demander à un homme de vivre avec des douleurs partout, tout le temps.

Mais ce qui m'importait encore plus que tout ça, même si je ne le réalisais pas encore, même si je ne me l'avouais pas, c'était le fait d'être défiguré. Je ne pouvais tout simplement pas admettre l'idée d'affronter le monde dans cet état, je ne voulais pas être un monstre qu'on pointerait du doigt, je savais que jamais je ne pourrais passer inaperçu, qu'il n'y aurait jamais de répit, jamais de cachette, que pour toujours je serais différent, autre, un *freak*.

J'ai décidé que je m'en irais. C'est une façon «paisible» de dire que j'allais me suicider, qui est un terme un peu trop brutal. Je suis allé jusqu'à la salle de bains. Il y avait une douche et je me disais que si j'arrivais à accrocher une serviette ou bien mon pyjama au pommeau, j'arriverais à fabriquer une corde convenable.

Péniblement, j'y suis parvenu. Durant tout ce temps, je n'arrêtais pas de penser à ma femme et à mes enfants. Je me souvenais des mots de Colette, elle qui me répétait toujours en me regardant droit dans les yeux:

— Tu vas voir, mon Yvon, on va passer au travers tous les deux, tu vas voir, ne t'inquiète pas...

En improvisant mon gibet, ces paroles n'arrêtaient pas de me trotter dans la tête et plus ça allait, moins j'étais sûr d'avoir choisi la bonne solution. Et je voyais mes enfants, mes filles... Petit à petit, mes idées ont commencé à se replacer. Je me disais: «Peut-être... Peut-être que ça va s'arranger, que les choses vont se tasser.» Et puis l'espoir s'est mis à renaître, je me suis tout à coup vu avec ce nœud coulant dans les mains, et j'ai eu honte.

Et avec la honte, un vent d'optimisme a balayé mes idées noires et j'ai repris foi en la vie. Je me trouvais ridicule d'avoir pensé à mettre fin à mes jours: après avoir subi tout ce que j'avais subi, je n'avais pas le droit de me décourager. Le pire devait certainement être passé et je n'avais pas le droit de faire ce coup-là à Colette et aux filles.

J'ai détaché la serviette et je suis retourné, toujours aussi péniblement, me coucher dans mon lit. J'ai fermé les yeux et je me suis dit: «Dès demain, je vais parler à Colette.» Parler de quoi, au juste? Je ne le savais pas exactement, mais je ressentais une formidable urgence de la voir, de l'entendre et de lui dire certaines choses. Je pense que jamais je ne m'étais senti aussi amoureux d'elle.

5

Après cet épisode assez difficile, commencèrent les chirurgies. Ça faisait à peu près six mois que je me trouvais à l'Hôtel-Dieu. Je venais de laisser les peines de la souffrance morale que je me retrouvais à nouveau confronté à la douleur physique. Et tant mieux! Là, j'étais sur mon terrain. Je ne me considère pas comme un surhomme mais je n'ai pas peur d'avoir mal. Comme on dit: je suis capable d'en prendre.

Et croyez-moi, j'en ai pris pour mon rhume! Chaque jour amenait sa peine: le débridement des plaies, les exercices de physio dans le bain tourbillon, le «coupaillage»... Monter à la salle d'opération, une greffe ici, une greffe là... Durant tout ce temps, j'étais pratiquement incapable de dire un mot. En fait, je parlais, mais comme mes cordes vocales avaient été très abîmées dans l'accident, les sons qui sortaient de ma gorge étaient à peine audibles. Mais si je ne pouvais parler, je pouvais certainement écouter. Et c'était dur. Cette absence de communication, être privé du besoin fondamental de s'exprimer me mettait complètement à l'envers.

Non seulement j'étais devenu presque muet mais en plus, mes yeux étaient toujours bandés. Nuit et jour. Je ne voyais rien ni personne. En raison de l'enflure, on me mettait de la vaseline pour que mes yeux ne se dessèchent pas trop et que je puisse arriver à fermer mes paupières.

En plus, durant tout ce temps, je ne buvais ni ne mangeais par moi-même. J'étais nourri grâce à des tubes qu'on m'avait placés dans la bouche et dans le nez, et aussi par intraveineuse. Au bout d'un certain temps, les médecins décidèrent de me désintuber — sans succès. Retour aux tubes, puis nouvelle tentative de libération. Le manège s'est répété à quelques reprises, mais j'étais bien trop faible pour m'alimenter.

Je ne suis pas un géant, mais je mesure tout de même un bon six pieds; et je peux dire qu'avant mon accident j'étais un gars assez costaud. Mais là, c'était rendu à un point où je ne pesais plus que 90 livres! Mesurer six pieds et peser 90 livres, croyez-moi, c'est pas beaucoup! J'entendais les résultats de mes pesées, à chaque fois ça baissait encore un peu: quatre-vingt-douze... quatre-vingt-onze... Je me disais que si ça continuait comme ça, j'allais bientôt disparaître, me volatiliser. Un beau matin, l'infirmière viendrait m'apporter une pilule et elle trouverait le lit vide!

Le personnel de l'hôpital me sermonnait et me faisait les petites menaces d'usage:

— Voyons, M. Leduc, si vous ne mangez pas il va falloir vous ré-intuber.

Mais de la bonne volonté, j'en avais à revendre! J'essayais de tout mon cœur de manger ce qu'on m'apportait mais je n'y arrivais tout simplement pas. Manger deux bouchées de purée de pommes de terre, pour moi, c'était comme mastiquer trois steaks. L'effort était trop grand, j'avais l'impression que ça faisait des heures et des heures que je mâchais, j'avais les muscles endoloris et je n'avais plus du tout d'énergie. Alors, on me rebranchait.

Vraiment, c'était l'enfer. À la dernière tentative de leur part de me débrancher, j'étais gonflé à bloc, je ne voulais pas rater ma chance. J'étais prêt à tout pour réussir à me débarrasser de ces damnés tubes. Je commençais à peine à recouvrer la vue et je ne sais pas si c'est ça qui m'a encouragé mais j'ai réussi à manger un petit peu. J'avais tellement hâte qu'on m'enlève au moins quelques-uns de ces tubes!

Lentement, j'émergeais, je renaissais au monde. Mais j'étais dans un état de profonde indifférence, de grande déprime. Tout ce que je savais, tout ce qui m'importait, c'était ma douleur. J'étais concentré sur ma souffrance et le monde extérieur m'était étranger. Je m'étais fabriqué une bulle d'où les rumeurs de la vraie vie étaient absentes.

* *
*

Vingt-quatre heures par jour, sept jours sur sept, j'avais mal. On m'effleurait, j'avais mal. On changeait mes pansements, j'avais mal. Quand je mangeais, j'avais mal.

Progressivement, les médecins avaient diminué les doses de morphine. Et si ce sevrage signifiait le retour en force de la douleur, il avait aussi comme résultat de contribuer à l'éveil de mes sens et de mon esprit. Petit à petit, après cinq mois de «black out», je remontais à la surface prendre des bouffées d'air, et la mémoire et la conscience me revenaient.

Oh! Au début ce ne fut pas parfait. J'ai commencé par reconnaître certaines personnes mais souvent, malheureusement, les gens qui se présentaient devant moi restaient de parfaits étrangers. Au mois d'avril, juste avant la Semaine sainte, j'ai commencé à faire de très sérieux progrès. Je sortais enfin de ma torpeur, je retrouvais après si longtemps ma lucidité.

Au début, ça n'a pas été facile. J'étais encore en état de profonde déprime. Ma femme essayait tant bien que mal de m'encourager, de me redonner courage et espoir en m'insufflant de son énergie. Mais ça ne venait pas facilement. Colette voulait que je reçoive des visiteurs, des amis, des membres de la famille, elle voulait que je me change les idées, que j'arrête de broyer du noir. Mais je refusais systématiquement de voir du monde.

Pourtant, un soir, j'ai dit à ma femme que j'accepterais de voir Guy, un de mes meilleurs amis. «Il pourra venir vendredi.» Colette était heureuse! Pour elle, ça signifiait que j'étais sur la bonne voie, que je m'en sortais enfin.

Le vendredi en question, le matin, on m'avait opéré juste sous les deux bras, aux aisselles. C'était un Vendredi saint et je me suis réveillé dans mon lit, les deux bras attachés aux tables de chevet de façon à empêcher tout mouvement de ma part. J'étais comme le Christ, les bras en croix! On m'avait coupé, cisaillé, j'étais couvert de bandages, de pansements; je souffrais le martyr mais je ne pouvais pas bouger.

Quand mon ami Guy est entré dans la chambre et qu'il m'a vu, cloué sur mon lit, il a eu le choc de sa vie. Il a lancé un grand cri:

— Ah mon doux Seigneur, ils l'ont crucifié un Vendredi saint!

C'est tout ce dont je me rappelle de sa visite.

* *
*

Puis vint l'époque des chirurgies majeures. Les médecins avaient au moins pris le temps de m'expliquer que jusqu'ici, on s'était contenté de faire du rapiéçage. Maintenant, les choses sérieuses allaient débuter.

Un jour, les chirurgiens m'ont annoncé:

— Nous allons rallonger votre cou.

Le rallonger? Ils auraient aussi bien pu dire: «Yvon, nous allons te fabriquer un cou», parce que de cou, je n'en avais tout simplement plus! Les os de mon menton étaient pratiquement soudés à ceux de mon thorax. Les médecins m'ont demandé:

— Êtes-vous prêt?

J'ai répondu:

—Il n'y a pas de problème, de toute façon ça fait mal vingt-quatre heures par jour, ça ne peut pas être pire.

Comme quoi on peut se tromper dans la vie. Quand je me suis réveillé, après une dizaine d'heures passées sous le bistouri, je me suis rendu compte qu'on m'avait coupé le cou d'une oreille à l'autre afin de pouvoir le rallonger. J'avais beaucoup souffert depuis mon accident, mais cette fois c'était trop atroce. J'avais atteint un seuil que je ne soupçonnais pas qu'on pouvait atteindre. C'était inhumain, j'étais sûr de perdre la raison. J'ai dit au médecin:

— Rendors-moi ou achève-moi.

Et ça n'était pas une demande polie, c'était un ordre. J'ai ajouté:

— Je ne pourrai pas endurer ça.

Il m'a répondu:

— On ne peut pas vous rendormir.

Je pense que les médecins n'avaient aucune idée des souffrances que j'endurais. Je ne crois pas être trop douillet, j'en avais déjà pas mal bavé, mais là, j'avais atteint le fond du baril.

J'ai prévenu le chirurgien:

— Si vous ne me rendormez pas tout de suite, j'arrache tout et je m'achève moi-même.

J'étais très sérieux. J'ai commencé à tirer sur les fils qui me sortaient de partout, j'étais en proie à une véritable rage, je n'avais jamais eu autant d'énergie depuis l'accident, j'étais en furie, je n'avais qu'une idée: achever ce cauchemar, mettre un terme à toute cette douleur, en finir une fois pour toute.

Quand ils ont vu ça, ils n'ont pas perdu de temps: ils m'ont fait une piqûre et ils m'ont rendormi. Vous voyez, au fond, il suffit de demander...

Quand je me suis réveillé, la douleur était devenue supportable. Dire que je me portais comme un charme serait exagéré, mais après ce que j'avais vécu, mon seuil de tolérance avait considérablement augmenté. Et puis, il y avait quelque chose de nouveau, les règles du jeu n'étaient plus les mêmes. Parce que moi, j'avais changé. Il y avait eu une sorte de déclic, je ne saurais dire ce qui l'avait déclenché au juste, toujours est-il que mon attitude s'était sensiblement modifiée. J'avais renoncé au renoncement, j'avais décidé de sortir de mon marasme, de cette torpeur qui ne m'avait pas encore quitté, j'avais choisi de recommencer à vivre. J'avais accepté de revenir.

Malgré cette attitude nettement plus positive, les événements ne m'aidaient pas beaucoup à m'en sortir. En vérité, je m'ennuyais, et ces longues heures passées seul dans mon lit étaient propices à toutes sortes de réflexions qui n'étaient pas toujours roses. En fait, je passais mes jours et mes nuits à ressasser tout plein d'idées noires et à souffrir. J'étais pris dans un paradoxe: d'un côté, j'étais déterminé à me battre et à reprendre le dessus, mais de l'autre mon état grabataire, la souffrance physique et le sentiment d'impuissance que j'avais, tout ça me replongeait en plein cœur de la nuit.

Pendant ce temps, je commençais à reprendre des forces. Pas beaucoup au début, mais lentement et sûrement j'accomplissais des progrès. Je me souviens que les premiers temps, un geste aussi banal que lever une fourchette me paraissait aussi difficile que de soulever une montagne.

Alors, tranquillement, les ergothérapeutes et les physiothérapeutes ont commencé à me faire faire des exercices pour que je reprenne des forces. J'étais impatient, je trouvais que je n'avançais pas, que les progrès tardaient à venir. Mais ils me calmaient et ils m'encourageaient:

— Ne t'inquiète pas, ça va venir progressivement, ça peut prendre du temps, mais on va y arriver. Ensemble.

— Mais ça fait six mois... Est-ce que je vais m'en sortir un jour? J'ai l'impression d'être ici depuis dix ans et puis il me semble que je ne fais pas de progrès...

— Yvon, qu'est-ce que je t'ai dit? Patience!

— Ouais... Patience! Facile à dire.

En thérapie, on a réussi à me faire d'abord un peu remuer les bras; puis un peu les mains, graduellement. Ce que je préférais, c'était les exercices dans le bain-tourbillon. Dans l'eau, la douleur était moins intense, les mouvements se faisaient beaucoup plus facilement. On me faisait faire ces exercices deux fois par jour. Même si ça faisait bien mal, je me disais: «C'est la seule façon de m'en sortir. Allons-y.»

À l'Hôtel-Dieu, la réadaptation en physio et les chirurgies ont duré à peu près trois mois. Trois longs mois douloureux mais trois mois où j'ai fait de très grands progrès.

* *
*

À la même époque, j'ai subi un nombre incalculable de chirurgies, mineures et majeures. Je veux en profiter pour remercier et rendre hommage au Dr Jacques Papillon.

Je crois bien pouvoir affirmer que j'ai eu la chance extraordinaire d'avoir le plus grand plasticien au monde. Ce que le Dr Papillon a fait à mon visage, particulièrement, tient du miracle. Il a fallu qu'il refasse entièrement ma figure, en partant de pratiquement rien, et que, comme un sculpteur, il redonne des traits humains à ce qui n'était qu'une masse informe.

Ne serait-ce que mon nez. Je n'en avais plus du tout, de nez, et pour m'en fabriquer un nouveau, il lui a fallu sept ou huit opérations. Il devait appliquer de la peau qu'il prélevait sur mes fesses — ça s'appelle un masque esthétique — sur mon futur nez, puis il devait l'enlever, la décoller, et ensuite casser les os du nez près des yeux et remettre encore une fois d'autre peau. Il me façonnait un nez étape par étape. Le lendemain, je me réveillais avec des mèches, mais le nez avait grandi d'un quart de pouce. Durant toute la période où dura cette reconstruction, je doutais du résultat final. Jamais je n'aurais cru qu'il réussirait à me refaire un nez qui ressemblerait à un nez. Pourtant, il faut reconnaître qu'il a drôlement bien réussi son coup.

Pour la bouche, ce fut encore pire. Je n'avais plus de lèvres. Juste un trou. Et refaire des lèvres, ce n'est pas évident: ça bouge tout le temps, et c'est un tissu particulièrement sensible et délicat. Le Dr Papillon, qui est très perfectionniste, voulait faire des joints à la commissure des lèvres afin que je ne porte pas de cicatrices. Alors, je n'avais pas le choix, il a fallu que je porte un étendeur dans la bouche. C'était un appareil fait d'acier inoxydable et muni de ressorts qu'on me plaçait dans la bouche de façon à ce qu'elle soit immobilisée et que mes greffes puissent tenir. Cet étendeur, je devais le porter 24 heures sur 24. On ne me le retirait que lorsque je devais manger.

Ce fut un épisode très pénible, je le reconnais, mais j'étais bien décidé à tenir le coup. Je me disais que ça valait la peine d'endurer ça si, au bout du compte, je me retrouvais avec une bouche, une vraie. J'ai déjà dit que la reconstruction de mon nez avait nécessité sept ou huit opérations, eh bien il n'en fallut pas moins pour me recréer une bouche.

En ce qui concerne les oreilles, ça a été un peu différent. C'est-à-dire que la réussite a été moins spectaculaire. En fait, on n'a réussi qu'à reconstituer le bas du pavillon, ce qui fait que, du point de vue esthétique, je n'ai pas les oreilles de tout le monde... Mais enfin, personne n'est parfait, non?

Toujours est-il que grâce à l'extraordinaire talent du Dr Papillon, je me suis retrouvé avec un nez, une bouche, un cou, bref un visage qui, s'il n'était pas celui que j'avais toujours connu, avait au moins retrouvé un aspect plus familier. Quand le Dr Papillon a commencé de refaire ma figure, je lui ai donné un portrait de moi pour qu'il travaille d'après cette photo. Évidemment, et je crois que c'est facilement compréhensible, au début — et même après — je n'étais pas complètement satisfait des résultats.

Entendons-nous: j'ai toujours été pleinement conscient des miracles que le Dr Papillon avait dû accomplir pour réussir ce qu'il avait fait. Et je lui en étais reconnaissant. Mais ce visage, cet homme que j'avais devant moi quand je me regardais dans le miroir, eh bien ça n'était pas moi. Et c'était assez difficile à admettre.

En fait ce n'est qu'aujourd'hui, huit ans plus tard, que je réalise ce que je n'avais jamais réalisé jusqu'alors. Je me suis regardé dans la glace ce matin et j'ai vu quelqu'un qui ressemblait à mon père...

6

J'ai déjà évoqué les miracles du Dr Papillon, mais il y a eu aussi dans toute cette affaire au moins un autre miracle. Comment, après que mon visage ait brûlé de la sorte, comment a-t-il été possible que mes yeux ne soient pas touchés?

Évidemment, ils n'en sont pas sortis tout à fait indemnes et j'ai, encore aujourd'hui, à subir quelques séquelles relatives aux brûlures que j'ai subies. Mais ça demeure incroyable de penser que mes yeux n'ont pratiquement pas été brûlés et qu'ils ont gardé toutes leurs capacités de vision. Bien sûr, je dois les protéger avec des lunettes, car je ne peux supporter la lumière directe. Je dois me mettre des larmes artificielles le matin parce que mes yeux ont tendance à sécher. À part ces problèmes-là, j'ai conservé une excellente vue.

En ce qui concerne mon système auditif, là j'ai été un peu moins chanceux. La vérité, c'est que je n'entends plus du tout de l'oreille gauche. Mais le plus ironique de l'histoire, c'est que cette surdité n'est pas consécutive à mon accident mais bien plutôt aux quantités industrielles de morphine que j'ai dû ingérer! Il semblerait que c'est une conséquence «normale» de cette néfaste habitude... Mais là-dessus, les médecins n'affirment pas grand-chose, faute de témoignages. Et la raison en est bien simple: il y a bien peu de patients qui ont survécu à de telles doses de morphine! D'habitude, quand on administre de telles quantités de drogue, c'est pour aider les mourants à s'en aller en paix. Moi, comme ils m'avaient condamnés à quelques reprises, ils ne pensaient sans doute pas courir de grands risques à m'assommer avec ça. De toute façon, dans leur esprit, j'étais un mort en sursis.

Mais la morphine n'est pas responsable de tout. Ainsi, c'est le feu qui a endommagé mon oreille de telle sorte que mon sens de l'équilibre en a été profondément affecté. Et ça, ça ne reviendra jamais. Alors, si on me pousse, même légèrement, vers l'arrière, je tombe sur le dos. Cette perte de l'équilibre arrière a d'ailleurs été un des principaux facteurs qui ont fait que ma réhabilitation a été très longue. Tous les exercices que je devais faire nécessitaient une certaine coordination que je n'avais plus et, par le fait même, mon apprentissage en a souffert.

* *
*

Il y avait donc près de six mois que l'accident avait eu lieu et que j'étais à l'hôpital. Durant tout ce temps, donc,

Colette, ma femme, venait me voir très souvent et on parlait. On parlait longtemps, de choses et d'autres, de tout et de rien comme on dit, et ces bavardages m'ont beaucoup aidé à passer au travers de ces moments pénibles. Le support moral qu'elle m'a fourni a sans doute été aussi important que les miracles du Dr Papillon dans mon processus de réhabilitation morale. Sans elle, et ça j'en suis totalement convaincu, jamais je n'aurais pu «revenir» comme je l'ai fait.

Non seulement c'est elle qui m'a arraché à la mort par son acharnement à refuser qu'on me «débranche» et par sa foi en ma guérison, mais c'est par ses paroles encourageantes et apaisantes que j'ai pu trouver la force nécessaire en moi pour accepter de me battre. C'était tellement facile de céder au découragement! Mais sa seule présence à mon chevet m'insufflait assez de force pour me convaincre de ne pas lâcher.

Un jour, alors qu'elle était assise tout près de mon lit, je lui ai dit:

—Il faudrait que je voie les enfants.

Ça paraît simple et anodin, dit comme ça, mais en réalité c'était une chose qui me préoccupait terriblement et même qui m'angoissait sérieusement depuis un bon bout de temps déjà. Je ne savais pas du tout comment les filles allaient réagir à la vue de ce père qui n'était plus tout à fait le père qu'elles avaient connu. Les réactions des enfants sont tellement imprévisibles! Et moi, je redoutais le pire. Que se passerait-il si je leur faisais peur? Ou si elles étaient dégoûtées par mon aspect physique? Toutes ces questions me trottaient dans la tête et me mettaient dans tous mes états.

Il y avait pas loin de six mois que mes filles n'avaient pas vu leur père. Naturellement, elles posaient un tas de questions: qu'est-ce qui est arrivé à papa? Où est-il? Quand est-ce qu'on va pouvoir le voir? C'est difficile d'expliquer certaines choses aux enfants, alors, bien sûr, on minimisait l'importance des dégâts. Évidemment, elles savaient que j'étais à l'hôpital et que j'avais eu un accident, mais c'était à peu près tout.

Tout ça pour dire que ma décision de voir mes filles ne fut pas facile à prendre même si je mourais d'envie de les serrer dans mes bras. Mais les choses furent arrangées très vite et on décida qu'elles viendraient à l'hôpital le lendemain.

C'était un jeudi de la fin juin ou du début juillet, je n'en suis plus trop sûr. Je me rappelle qu'il faisait beau et que le soleil qui entrait dans ma chambre à travers les lattes des stores me donnait espoir et réussissait à alléger un peu mon cœur. Elles sont arrivées toutes les trois avec leur mère, tout endimanchées comme si elles avaient été en visite.

Elles avaient été prévenues que leur papa avait beaucoup changé, Colette avait tant bien que mal, en essayant de les ménager, tenté de leur expliquer que mon visage avait été brûlé, qu'elles devaient se préparer à subir un certain choc... Je savais tout ça, mais j'étais encore bien nerveux.

Quand elles sont entrées dans ma chambre, c'est moi qui ne les ai pas reconnues! Elles avaient tellement changé en six mois! J'étais tellement heureux et ému de les retrouver, c'était comme si je revenais en arrière, c'était comme si, pendant un instant, l'accident n'avait pas eu lieu. Je me retrouvais comme avant, avec mes filles et ma Colette.

Elles virent mon visage. Mais elles virent aussi mes yeux. Elles entendirent ma voix. Mais elles reconnurent aussi mes mots. Elles sautèrent dans le lit.

Il m'est bien difficile de décrire les émotions que j'ai ressenties à ce moment-là. Tout ce que je peux dire c'est que j'ai été saisi dans un flot de sentiments contradictoires où le bonheur côtoyait le malheur. J'étais heureux de retrouver mes filles et j'étais soulagé de voir leur réaction, mais en même temps je prenais lourdement conscience de ce que j'allais leur imposer toute leur vie.

Je voulais bien essayer d'admettre que je réussirais à m'accepter ou en tout cas à fonctionner plus ou moins normalement dans le monde extérieur. Au moins, j'étais prêt à faire les efforts qu'il faudrait pour ça. J'étais prêt aussi à vivre avec les moments de déprime et de découragement; je savais qu'il y en aurait. Mais elles? Ce n'étaient que des enfants!

Qu'est-ce que ça représenterait pour elles de vivre avec un père aussi... différent? Je n'en avais aucune idée précise mais j'avais l'intuition que ce ne serait pas facile. Je savais que ce serait difficile pour elles, je veux dire pour elles face à elles-mêmes, mais il y aurait peut-être encore pire. Qu'allait-il se passer avec leurs amis? Les enfants sont parfois bien cruels et je savais que les humiliations feraient sans doute partie de leur quotidien. «Mon père est plus fort que le tien?» Ce serait plutôt «mon père est plus laid que le tien».

Et puis Caroline, qui n'était alors qu'un bébé, s'est étendue à côté de moi dans mon lit. Je ne sais pas ce qui s'est passé, mais ce simple geste a déclenché quelque chose en moi. J'ai eu comme une grande bouffée d'espoir et brusquement, du gris profond par lequel il était teinté, le monde a basculé et il s'est retrouvé joyeusement coloré de rose! Il y a eu comme un grand élan me soulevant vers l'avenir.

Du coup, j'ai redoublé d'ardeur dans mes exercices. Ainsi, je passais toujours plus de temps sur la bicyclette stationnaire que ce que les physiothérapeutes me recommandaient. Mais je savais que pour m'en sortir, il fallait que j'accepte de souffrir. Et croyez-moi, c'était dur de pédaler comme ça, chaque tour de roue était une épreuve. Mais, plus que jamais, j'étais décidé. Alors je fonçais.

Et je faisais des progrès. À tel point qu'un jour j'ai demandé à mon médecin la permission de rentrer à la maison. Je m'ennuyais tellement des miens... Et puis, j'étais convaincu que le simple fait de me retrouver chez moi, auprès de ma femme et de mes enfants, m'aiderait énormément à me sentir plus fort. Peut-être pas tant physiquement que moralement. Le médecin m'a répondu:

— Yvon, c'est encore trop tôt. Je ne peux pas vous donner la permission de sortir comme ça, vous n'êtes pas encore prêt.

— Docteur, je vous jure, je le sens, ça me ferait du bien.

— Attendez encore quelque temps. Bientôt, je vous le promets, vous allez pouvoir retourner chez vous.

— Écoutez, pensez-y, ça ne peut pas faire autrement que d'accélérer ma réhabilitation...

À force de discussion et de négociation, j'ai réussi à lui arracher l'autorisation de rentrer chez moi les fins de semaine.

L'ambulance me prenait le vendredi soir et puis on descendait chez nous. Colette avait tout prévu et elle avait installé une chambre spécialement pour moi à la maison. J'y retrouvais tout le «confort» de l'hôpital. Quand j'étais là, il y avait une infirmière en permanence avec moi et un médecin venait deux fois par jour me visiter parce que j'avais toujours des greffes et qu'il y avait des pansements à changer à tout bout de champ.

Ces fins de semaines passées à la maison, «dans mes affaires», avec ma famille, me firent un bien énorme. D'un autre côté, j'étais bien forcé de reconnaître que ces séjours loin de l'hôpital me fatiguaient terriblement. Et, même si je ne voulais pas me l'avouer, je souffrais bien plus chez moi qu'à l'Hôtel-Dieu.

7

Et puis finalement, après tout ce temps passé à l'hôpital — je commençais presque à m'y sentir comme chez moi! — on m'a annoncé: «Yvon, vous êtes prêt pour la réadaptation. À partir de maintenant, vous allez devoir subir moins d'interventions chirurgicales, ou en tout cas à un rythme moins fréquent, et le processus de guérison devrait être hâté par une bonne réadaptation. On va vous mettre entre les mains de spécialistes!» Et je suis parti pour le Centre de réadaptation de Montréal. Ce fut une étape très importante dans ma réhabilitation.

J'y ai passé un an. Il serait bien long de raconter tout ce que j'y ai vécu. Mais je peux dire que j'y ai tout réappris. Ce fut une réadaptation totale. Autant le Dr Papillon a dû remodeler mon visage à partir de pratiquement rien, autant l'équipe du Centre a dû me réapprendre à fonctionner en partant de zéro. J'ai réappris à marcher, à parler, à bouger mes bras et mes mains. Tout.

Au moment où je suis arrivé au Centre, je marchais

un tout petit peu, c'est vrai; mais j'étais tout à fait incapable de me servir de mes mains et de mes doigts. Je ne pouvais manger seul, j'arrivais encore bien moins à m'habiller seul ou à écrire. J'étais complètement dépendant, je me sentais vulnérable et je souffrais d'une profonde insécurité.

On me faisait faire de la physiothérapie deux fois par jour et de l'ergothérapie, une fois par jour. De la gymnastique, ça, j'en faisais sans arrêt. Nous formions, les thérapeutes et moi, une vraie combinaison gagnante: ils avaient décidé de me remodeler complètement et moi j'avais décidé que je m'en sortirais. À ce moment-là, j'avais été tellement gavé de nourriture à l'Hôtel-Dieu que je pesais presque deux cents livres! Il semble que c'était nécessaire pour mon système. Elle était bien loin l'époque où je ne pesais que 90 livres!

Tout compte fait, quand je regarde cette année passée au Centre de réadaptation, je constate que j'en garde d'excellents souvenirs. D'abord, je dois dire que durant tout le temps que j'ai été là-bas, j'étais avec l'ex-joueur de hockey des Bruins de Boston, Normand Léveillée. C'est lui qui avait subi une grave blessure alors qu'il portait l'uniforme des Bruins. Il avait, si je me souviens bien, encaissé une mise en échec qui l'avait mis K.O. En fait, elle avait mis fin à sa carrière de joueur et c'est pour ça qu'il s'était retrouvé là avec moi, à l'institut. Normand ne parlait pas et il ne marchait pas. Il avait dû subir une délicate intervention chirurgicale et on lui avait posé une plaque d'acier dans la tête.

Mais c'était mon «chum»! On ne se lâchait pas, tous les deux. Même s'il ne pouvait pas s'exprimer par des mots, on arrivait très bien à communiquer, lui et moi, ça je vous le jure. Alors on faisait nos exercices ensemble, tous les jours, en se lançant des défis. En fait, je crois surtout qu'on a été une inspiration l'un pour l'autre. J'ai dit qu'il ne parlait pas, mais il comprenait très bien. La preuve: mes farces le faisaient rire!

J'ai rencontré plein de gens très intéressants à l'institut. J'ai eu la chance, entre autres, de connaître le comédien Yvon Dufour, celui qui jouait le curé dans l'émission *Le temps d'une paix*. C'était un homme charmant qui était très gentil avec moi. Il faut dire que lui aussi, je le faisais rire!

Parce que je dois dire que j'étais le véritable bouffon de l'institut. Je n'arrêtais pas une minute, une plaisanterie n'attendait pas l'autre, j'étais tout le temps à faire le clown pour amuser les autres. Au fond, c'est simple: plus j'avais mal et plus j'étais angoissé, plus je faisais le fou. Moins je pouvais supporter de voir les autres, ou bien que les autres me voient, plus je faisais le pitre. Pour tout le monde, j'étais un gars qui n'avait pas de problème, toujours de bonne humeur. Mais intérieurement, je souffrais. Sauf que j'avais besoin d'agir comme ça. Il fallait que je lâche un peu de vapeur, et cet humour et cette bonne humeur étaient des soupapes qui me permettaient de relâcher un peu la tension.

Et tout le monde y passait. Je ne faisais pas le fou qu'avec les autres patients, les infirmières aussi y goûtaient! J'ai dansé avec elles, j'ai tout fait, toutes les conneries imaginables. Je n'ose même pas me les rappeler toutes... En tout cas, j'ai bien l'impression qu'elles ne m'oublieront jamais.

Oui vraiment, quand je me rappelle cette époque, je me dis que j'ai ri là-bas comme jamais je n'ai ri dans ma vie. Mais je riais pour ne pas pleurer. Et d'ailleurs, même encore aujourd'hui, quand ça ne va pas, quand je ne suis pas en forme, que la vie me paraît trop bête ou que mon corps me fait trop souffrir, ma réaction première est de faire le fou avec mes enfants, ma femme ou mes amis. C'est ma façon à moi de ne pas montrer ce que je ressens, de ne pas montrer que je suis vulnérable. Je ne veux pas que les autres sachent que je souffre parce que je ne veux pas de leur pitié. La pitié, je pense que c'est encore ce qui me fait le plus mal.

Et puis, je ne veux pas que ceux que j'aime souffrent de me voir souffrir. J'aime mieux assumer ma douleur. Je l'ai déjà dit: la douleur, c'est mon rayon, je suis capable d'en prendre. À force de vivre avec elle, je l'ai presque apprivoisée. En tout cas, je la connais si bien que je ne veux pas la partager avec les autres. Moi, je connais mes limites et de toute façon, je sais à quoi m'attendre.

* *
*

Lors de l'accident, mon cerveau avait été atteint. En fait, il était comme endormi, gelé. J'avais de sérieux troubles de mémoire parce que certaines cellules avaient été endommagées. Mon cerveau avait été affecté, oui, mais quand même pas autant que les médecins l'avaient cru. Longtemps, ils avaient pensé que si je m'en sortais vivant, je resterais comme un légume. Mais du fait de mon inconscience prolongée, leur évaluation avait été incorrecte. Comme je présentais des symptômes d'épilepsie et de Parkinson, ils avaient conclu que mon cerveau ne fonctionnait plus du tout. Mais j'avais des petites surprises pour eux!

Alors c'est vrai, mon cerveau n'était pas parfait, mais il y avait de l'espoir. Et ce fut là une des tâches principales du personnel de l'Institut de réadaptation que de me «refaire une mémoire».

J'avais tellement à apprendre! Le processus de rééducation fut assez long, mais je faisais des progrès. Et à chaque fois que je me rendais compte d'une amélioration de mon état, j'étais fouetté par un nouvel espoir. C'était comme un éveil progressif, comme un noyé qui refait lentement surface, je redécouvrais la vie même et à travers elle, c'est moi que je redécouvrais.

À l'institut, on m'a donné tous les moyens pour renaître: d'abord par de simples échanges, de simples conversations, et aussi par la lecture. Je pense que je n'ai jamais autant lu de ma vie qu'à l'institut! On croyait aussi beaucoup aux vertus du travail manuel, de l'artisanat. Alors je m'adonnais à la pyrographie, je travaillais le cuir et le rotin. J'aimais ça: je retrouvais là un peu de ce qui me plaisait tant dans mon métier de soudeur, le contact avec la matière, le plaisir de travailler avec ses mains, la satisfaction du travail bien fait.

Régulièrement, je voyais un psychologue. Nous discutions beaucoup et à chacune de nos rencontres il s'informait de mes progrès. Et moi j'étais tellement heureux de lui annoncer chaque fois: «J'ai appris quelque chose de nouveau aujourd'hui.» Toutes les activités de rééducation stimulaient mon cerveau et déclenchaient des flux de souvenirs qui me rapprochaient de quelque chose que j'espérais plus que tout au monde, mais qu'à la fois je redoutais un peu. Je me rendais compte que j'avais rendez-vous avec moi-même et que l'heure de la rencontre approchait à grands pas.

* *
*

Et une fois de plus, j'ai été chanceux. Alors que les médecins me condamnaient à la condition de légume, je peux dire que mon cerveau est redevenu comme avant, disons à 99,9 pour cent. Mais attention, toute cette réhabilitation ne s'est pas faite en une seule année. Ainsi, même si ça fait huit ans déjà que l'accident a eu lieu, il n'y a que deux ans que j'arrive à nommer mes enfants sans être tout mêlé. Avant ça, quand j'appelais une de mes filles, c'est toute la famille qui y passait! Par exemple, je devais les nommer trois ou quatre fois de suite avant de réaliser que Natasha ce n'était pas Annick qui elle-même n'était pas Caroline. C'était très confus.

Autre exemple: mes outils. J'allais dans mon atelier et là je me plaçais devant mon établi. Je regardais tous mes outils et puis je me décidais à en prendre un. C'était comme si je débarquais sur la planète Mars! Je n'avais aucune idée à quoi ça pouvait bien pouvoir servir. Une perceuse, un rabot, une scie sauteuse, tout ça n'éveillait rien en moi. Et pourtant, Dieu sait que je m'en étais servi de ces outils...

C'était une bien drôle de sensation: j'avais tous ces

trous de mémoire, tous ces grands déserts dans ma tête, mais j'avais une conscience aiguë que j'aurais dû me rappeler, que tous ces souvenirs qui me manquaient étaient encore en moi, enfouis quelque part, je ne savais où, et qu'il fallait que je fasse en sorte qu'ils se réveillent. Autrement dit, je savais que je ne savais pas. Et cette conscience a probablement un peu nui à la rapidité de mes progrès. J'avais une pression supplémentaire sur les épaules; je paniquais en m'imposant le devoir de retrouver tous ces souvenirs perdus. Je me sentais trop responsable de ma propre guérison.

J'aurais dû prendre les choses avec un grain de sel, en riant, comme je le faisais pour ma réhabilitation physique. Mais je prenais tout ça très au tragique. Je n'arrivais pas à admettre que j'avais su autrefois faire telle ou telle chose et que maintenant j'en étais incapable.

Mais un jour, je me suis secoué et j'ai pris la décision d'accepter, d'adopter le rythme naturel de mon évolution. Je me suis dit: «Ça prendra le temps que ça prendra, je n'y peux rien, je vais attendre. Au fond, ce n'est qu'une question de temps. Si je fais des erreurs, je recommencerai, c'est pas plus grave que ça.» Et, effectivement, graduellement, la mémoire m'est revenue.

Souvent, quand j'étais avec Colette et que nous discutions de choses et d'autres, soudainement je posais une question sur un détail précis qui me revenait en mémoire. Elle me précisait alors le contexte dans lequel était arrivé tel ou tel événement et puis, brusquement, les souvenirs jaillissaient. Ça me revenait tout d'un coup comme un flash. C'était extraordinaire, c'était comme si les pièces du puzzle se mettaient en place toutes seules.

Parfois, en l'espace d'une seule nuit, je pouvais me rappeler de toute une année. Là, c'était franchement enivrant! J'avais l'impression d'effectuer une sorte de voyage intérieur, comme si je remontais le temps. Et plus je retournais en arrière, plus j'avançais. La redécouverte de mon passé me propulsait vers mon futur.

Dès l'instant où j'ai mis les pieds à l'Institut de réadaptation de Montréal, j'ai choisi de collaborer entièrement avec les éducateurs. Je me rappelle avoir dit à ma femme, au début:

— Je me donne deux ans pour devenir autonome.

— Yvon, laisse aller les choses. Ça prendra le temps que ça prendra. Moi, je sais que tu vas t'en sortir.

— Non, non. Je te le dis: dans deux ans, tu vas voir, je vais être complètement rétabli. En tout cas, autonome. Ça oui, je te le promets. Je ne serai jamais un fardeau pour toi...

Et ça, c'était comme une idée fixe, une condition sine qua non que je m'étais posée. Tout le monde était au courant, j'avais mis les cartes sur table dès le début: c'était l'autonomie complète ou bien... Ou bien je préférais m'en aller.

Mais quand on veut, on peut. J'ai travaillé dix fois plus fort que ce que le programme de rééducation exigeait, mais aujourd'hui, je ne le regrette pas. D'ailleurs, on me l'a confirmé par la suite: si j'en avais fait moins, si j'avais décidé de rester assis «sur mon steak», eh bien, je serais probablement encore assis dessus à ce moment-ci. Je serais certainement invalide parce que je n'aurais pas accepté de faire les efforts nécessaires. Oh, bien sûr c'était douloureux. Vouloir s'en sortir c'est toujours souffrant. C'est incroyable à quel point il peut être douloureux de faire travailler un corps qui ne veut plus bouger, un corps qui a mal. C'est exactement comme si le corps se révoltait, qu'il refusait de collaborer. Et c'est difficile de lutter contre soi-même.

Paradoxalement, pour se débarrasser de la souffrance il faut accepter de souffrir encore plus. Alors je faisais travailler mon corps toujours un peu plus, afin qu'il guérisse. Souvent, ma physiothérapeute, Lorraine Masse, une fille extraordinaire que j'ai adorée, me sermonnait:

— Yvon, ne vas pas trop loin trop vite! Si tu te déchires la peau, je vais devoir te faire arrêter les exercices.

— T'inquiète pas, j'en fais encore cinq minutes et puis j'arrête. Promis, juré.

Parce qu'il ne faut pas oublier que tout ce temps-là je subissais des greffes de peau qui étaient bien fragiles. Trop d'efforts physiques, trop de certains mouvements et tout était à recommencer. Mais je continuais quand même.

Je m'étais donc donné deux ans. Peu m'importait de souffrir encore tout ce temps-là si j'arrivais à reconquérir mon autonomie. Jamais, au grand jamais, je n'aurais accepté d'imposer à mes proches la charge d'un invalide dépendant. C'était hors de question. Déjà ce serait assez dur pour eux d'avoir à supporter mon apparence physique... C'était bien assez.

Alors, seul sur ma bicyclette d'exercice, je pédalais, je pédalais... en m'imaginant des paysages de forêts au printemps. Et chaque tour de roue, je le sentais, me rapprochait de mon autonomie.

8

Après un an passé à l'Institut de réadaptation de Montréal, je suis retourné chez moi, vivre parmi les miens. Il y avait presque deux ans que mon accident avait eu lieu et que j'avais été coupé de la «vraie vie». Évidemment, j'étais bien heureux de retrouver ma famille, ma femme et mes enfants. J'étais content aussi de retrouver ma maison, de me retrouver dans mes meubles. Mais les choses n'étaient pas si simples.

En fait, mon retour au bercail a été très dur. J'étais heureux à l'institut; on m'y traitait bien, j'y avais des amis, mais surtout, lorsque j'ouvrais les yeux le matin en me réveillant, je n'avais pas à songer à la réaction qu'auraient les gens en me voyant. L'institut, c'était un espace clos où je me sentais en sécurité, à l'abris des autres. Là-bas, tout le monde — je veux dire tous les patients — avait quelque chose de «croche» et le personnel était habitué à côtoyer des gens différents. Exactement comme à l'hôpital. Bref, c'était un petit monde à part, un cocon, où je me sentais accepté et qui m'aidait à m'accepter moi-même.

Mais cette fois, il a fallu que j'affronte le vrai monde. Et mes craintes étaient bien en deçà de la réalité. Jamais je n'aurais pu imaginer à quel point ça pouvait être difficile. Quand je suis arrivé chez moi, et pourtant j'habite à la campagne et je n'ai pour ainsi dire pas de voisins, pendant au moins deux mois je me suis terré dans la maison.

Je n'arrivais même pas à me résoudre à tondre la pelouse, de peur que quelqu'un passe dans le chemin. Je me cachais. Si quelqu'un frappait à la porte, là c'était vraiment la panique. Je me précipitais dans ma chambre, je m'y enfermais et je demandais à ma femme d'aller répondre. J'attendais que la personne soit repartie avant de sortir de la chambre. Je refusais carrément de voir qui que ce soit.

Avec Colette et les enfants, ce n'était pas pareil. Je savais qu'elles, elles m'acceptaient tel que j'étais — j'en avais eu assez de preuves. Mais moi, je continuais, malgré elles et leurs nombreuses démonstrations d'amour, à ne pas m'accepter, à ne pas m'aimer et donc à refuser d'admettre que les autres puissent m'accepter ou m'aimer.

* *
*

Et puis les choses se sont tassées, la situation a lentement évolué. Ça a commencé avec mon voisin, Gilles. Quand j'avais eu mon accident, Gilles venait à l'hôpital reconduire ma femme. Il avait été très dévoué et je savais qu'il m'avait vu et que donc, il connaissait mon état et qu'il savait à quoi s'en tenir. Alors, j'ai commencé par accepter de le voir, lui, et ça me faisait du bien.

Un jour, il est arrivé chez moi avec les yeux plus brillants que d'habitude. Moi, j'étais assis tranquillement dans le salon et j'écoutais un concerto de Vivaldi. La musique a toujours été pour moi un moyen extraordinaire de m'évader, d'échapper à la réalité. Et d'ailleurs, cet amour de la musique a été une des choses qui ont contribué à nous rapprocher, Gilles et moi.

Il est entré dans la pièce et s'est assis directement en face de moi. Il m'a regardé droit dans les yeux et il m'a dit:

— Yvon, je m'en vais faire un petit tour au marché aux puces. Prépare-toi, tu t'en viens avec moi.

Oh, la, la! J'ai bien cru qu'il était tombé sur la tête. S'il pensait que j'allais le suivre là, il se mettait un doigt dans l'œil jusqu'au coude. Je lui ai répondu:

— Es-tu fou? Jamais, jamais. Enlève-toi ça de la tête tout de suite. Au marché aux puces il y a plein de monde. Il n'en est absolument pas question.

— Oui, oui, oui, tu viens avec moi. Ça n'a plus de bon sens, Yvon, il faut que tu sortes. Tu vas devenir fou si tu restes enfermé comme ça.

— Écoute Gilles, oublie ça tout de suite. Ça ne sert à rien d'insister, j'irai pas. C'est aussi simple que ça.

— Ah oui? Lève-toi, va te préparer, je m'en vais faire chauffer l'auto.

Je ne sais pas ce qui s'est passé en moi, mais il y a eu comme un déclic. Au fond, je pense que je n'attendais qu'une occasion comme celle-là. Alors j'ai plongé et je lui ai dit:

— D'accord. Mais je t'avertis: c'est un essai. Si jamais je te dis que je veux m'en retourner...

— Je te le promets.

Je savais que je pouvais lui faire confiance.

Alors j'ai mis ma veste et puis je suis sorti de la maison. Son auto était là, dans mon entrée; il était au volant et il m'attendait. Colette ne voulait pas avoir l'air d'en faire tout un plat, je voyais bien qu'elle essayait de se contenir, mais je voyais aussi qu'elle était tellement heureuse. Moi, j'avais les jambes molles, j'avais l'impression d'avancer sur un nuage.

Il n'y avait pas bien loin de ma porte à l'auto, mais j'avais le sentiment que je n'arriverais pas à m'y rendre. Pourtant, je suis monté dans la voiture. J'ai bouclé ma ceinture, il a démarré et puis nous sommes partis. Je me sentais tout petit! J'avais le goût de lui dire: «Stop! Arrête-toi! J'ai changé d'idée. C'était une farce, je ne voulais pas y aller. D'ailleurs je n'ai pas le temps, il faut retourner à la maison.» Mais je n'ai pas osé, ça aurait été trop humiliant. Alors je n'ai pas dit un mot et nous avons roulé vers le marché aux puces.

* *
*

Et puis nous avons fini par y arriver. Ah mon Dieu, j'avais chaud! J'avais mal partout, je ne voyais plus rien, j'avais la tête qui tournait, je me sentais vide, tellement vide, comme si j'avais couru dix milles. Les gens... les gens me regardaient, ils me dévisageaient, ils me suivaient... À cette époque, je subissais encore des chirurgies et mon visage n'était pas encore fini. En plus, mes mouvements n'étaient pas très bien coordonnés. Je n'avais pas beaucoup d'équilibre, ce qui me donnait une drôle de démarche. Nous sommes restés une vingtaine de minutes seulement mais croyez-moi, ce furent vingt longues minutes.

Quand nous sommes revenus, j'étais fatigué, vidé, épuisé, complètement brûlé — si j'ose dire. Ça avait été, pour moi, une épreuve terrible et vraiment éprouvante d'affronter cette foule. J'avais vraiment eu l'impression que tous les yeux étaient braqués sur moi, que tout le monde, sans exception, se retournait sur mon passage. Et évidemment, j'étais persuadé que tous ces regards étaient chargés de dégoût et d'horreur.

Et pourtant, d'un autre côté, je m'en rendais bien compte, cette petite expédition m'avait fait du bien. Mon voisin, lui, avait le sourire fendu jusqu'aux oreilles et même, il rigolait franchement. Il était bien fier de son coup! Il m'a dit:

— Tiens-toi prêt, mon Yvon, ça ne fait que commencer. On va se reprendre, puis plus vite que tu ne le penses!

— Laisse-moi d'abord reprendre mon souffle...

Je me souviens avoir pensé: «Ça va plus vite que je l'imaginais. Je voulais devenir autonome mais là, on m'oblige à le devenir.» Je trouvais que tous les événements se bousculaient. Ça me faisait peur mais en même temps, ça me grisait. Et puis aussi, je pense que je retrouvais ce sentiment de prise en charge que j'avais ressenti d'abord à l'hôpital et puis ensuite à l'institut. J'avais peut-être voulu en faire trop, tout seul. Là, on s'occupait de moi, on prenait en main mon destin, on m'aidait. Et cette aide, que je n'avais pas su ou voulu réclamer, j'étais bien content qu'on me l'accorde.

9

Si mon séjour à l'Institut de réadaptation de Montréal contribua grandement à ma rééducation physique, mon retour à la maison correspondit à une période de réadaptation «psychologique». J'ai appris, grâce à Colette, à mes enfants, à ma famille et à mes proches, à progressivement m'accepter.

Souvent, les gens me demandent si j'ai ressenti un sentiment de révolte après l'accident. Je leur réponds que non, que je ne me révolte jamais. Évidemment, je n'acceptais pas facilement mon accident et ses conséquences, et ça m'affectait énormément. Mais je m'étais promis d'essayer. Je m'accordais un certain temps pour réussir à m'accepter.

Est-ce que j'y ai réussi? Je répondrais oui et non. Encore aujourd'hui, j'ai du mal à me regarder dans un miroir. Souvent, je ne reconnais pas la personne qui est en face de moi. Mais au fil du temps, j'ai appris, j'ai réussi à rester devant la glace pour mettre ma perruque et mes lunettes, et à supporter l'image qui m'était renvoyée. C'est drôle, mais une des choses qui me manque le plus c'est le petit cérémonial du rasage quotidien. J'avais, avant mon accident, un collier que j'entretenais méticuleusement. Chaque matin, je me faisais un devoir de raser tous les poils superflus qui avaient poussé durant la nuit. Etait-ce de la coquetterie mal placée? Toujours est-il que j'aimais me retrouver devant le miroir. J'ai encore mon rasoir électrique. Il est là, placé bien en vue sur la tablette de la pharmacie de la salle de bains. Je n'arrive pas à me résoudre de le ranger ou de m'en débarrasser. Il est là depuis huit ans maintenant.

Quand on a vécu 37 ans avec un certain visage et que brusquement, du jour au lendemain, on se retrouve comme ça, c'est dur à accepter. Ça peut prendre 30 ans avant qu'on parvienne à s'habituer à sa nouvelle figure. Quand je me regarde, j'admire le talent de mon chirurgien, mais il s'agit là du seul sentiment vraiment positif que m'inspire la contemplation de mon visage.

Bien sûr qu'en dedans je suis la même personne. Je n'ai pas changé; je suis toujours Yvon Leduc, le fils de Gérard Leduc. Je suis le même homme, avec ses défauts et ses qualités, avec ses bons et ses moins bons côtés. J'ai les mêmes idées et les mêmes opinions qu'avant. Si j'ai un peu changé, je pense bien que c'est pour le mieux: je profite davantage de la vie, je suis plus conscient de certaines valeurs. Mais je suis le même gars qu'avant. Et c'est précisément là où se situe le problème: je suis le même homme à l'intérieur mais je suis devenu quelqu'un d'autre à l'extérieur. Croyez-moi, c'est dur à admettre!

* *
*

Alors donc, j'ai commencé à affronter le monde extérieur. J'ai commencé à sortir plus fréquemment. J'y allais petit à petit, je gagnais de petites batailles à chaque fois. Avec mon voisin, nous avons décidé de faire des sorties à tous les quinze jours. Il m'appelait et il me disait: «On va y aller de bonne heure, comme ça il y aura moins de monde.» Et on partait.

J'avais aussi commencé à sortir seul. J'allais voir mon ami Guy. Je prenais ma voiture pour me rendre chez lui. Le trajet lui-même ne posait pas de problème: les vitres de ma voiture étaient teintées et donc personne ne pouvait me voir de l'extérieur. Là où les ennuis commençaient c'est quand il fallait que je descende de l'auto pour entrer chez lui. Ce n'était que quelques mètres à franchir, mais pour moi c'était énorme. Parfois, je restais assis au volant et j'attendais qu'il n'y ait personne en vue. Quant la voie était libre, je me précipitais comme un fou jusqu'à sa porte.

Mais tranquillement, j'ai commencé à m'habituer à sortir de chez moi. Petit à petit, j'ai commencé à supporter le regard des gens. Ou plutôt, à l'oublier. Plus ça allait, plus je l'acceptais.

J'ai même commencé à prendre des bains de foule. Je me suis dit que pour apprendre à nager la meilleure façon reste de se jeter à l'eau. Alors j'ai appliqué le même principe pour moi. Ça n'a pas été facile. J'ai décidé d'aller dans les centres commerciaux. Je me disais que ça représentait un moyen terme acceptable: d'un côté il y avait plein de monde, mais d'un autre c'était très impersonnel, et je me disais que peut-être je serais noyé parmi la foule.

Ce qui m'a frappé, c'est la gentillesse des vendeurs dans les boutiques. Je n'ai jamais eu de mauvaise expérience avec le personnel dans les magasins où j'ai été. Ils étaient très polis, certains me parlaient, et à tout coup je me sentais à l'aise. Jamais un seul ne m'a regardé de haut et jamais aucun n'a tenté de m'éviter. Je me suis toujours senti accepté.

La réaction des clients, elle, n'a pas toujours été aussi simple. Enfin, mettons les choses au clair: je dirais qu'à peu près 60 pour cent des adultes que je rencontrais réagissaient bien. Certains venaient à moi spontanément pour me parler, m'interroger, savoir ce qui s'était passé, si c'était un accident, etc. J'ai toujours apprécié ce genre d'attitude. Je répondais à ces gens et eux aussi semblaient apprécier ça. Les gens veulent savoir, c'est normal. Ils voulaient connaître les circonstances de mon accident et puis ils sympathisaient. Et moi, ça me faisait plaisir et ça m'aidait à m'accepter. Plusieurs tenaient à me serrer la main, ils me félicitaient de m'en être sorti, ils m'encourageaient, ils me souhaitaient bon courage... Je trouvais ça extraordinaire.

Malheureusement, il y avait aussi certaines personnes qui manifestaient franchement leur dédain. Je sentais bien que si elles avaient pu s'enfuir plutôt que de devoir passer près de moi, elles l'auraient fait. Je le voyais bien: c'était exactement comme si j'avais été contagieux, un lépreux ou un pestiféré. Je ressentais tout

La famille Leduc au grand complet en décembre 1990.

leur dégoût et ça me faisait mal. Ils n'arrivaient pas à accepter l'autre que j'étais. Je sais bien maintenant, à tête reposée, que c'était leurs «bibittes» à eux qui étaient responsables; je sais qu'en me voyant, ils faisaient une projection d'eux-mêmes qu'ils ne pouvaient pas supporter. Mais sur le coup, ça m'enrageait et ça me peinait. J'étais moi-même pris avec bien des «bibittes», et j'en avais bien assez à régler comme ça pour commencer à m'apitoyer sur le sort de mes contemporains.

Il y en avait même qui me suivaient en cachette, pour pouvoir me regarder à la dérobée tout à leur aise. Et c'étaient des adultes! Moi, je les voyais faire leur petit manège et ça me mettait hors de moi. J'aurais voulu les prendre par les épaules et leur secouer les puces. J'aurais eu le goût de les coller sur un mur et de leur dire:

— Tu veux me regarder? Tu veux bien me voir? Bien, regarde là, tu m'as bien en face.

Mais il fallait que je les supporte. Parfois ça pouvait durer une bonne quinzaine de minutes avant que je réagisse. Je me retournais subitement et je les interpellais:

— Est-ce que tu as perdu quelque chose? Est-ce que tu as besoin de quelque chose? Est-ce que tu as un problème?

Je dois dire que je disais ça sur un ton qui n'encourageait pas les confidences... Généralement, ils devenaient rouges comme des tomates et ils prenaient la poudre d'escampette, la queue entre les deux jambes.

* *
*

Mais il y a aussi les enfants. Et Dieu merci! Je pense que leur attitude à eux a beaucoup contribué à me faire reprendre confiance en mes moyens. Les enfants, ils sont naturels. Ils ne trichent pas, ils ne mentent pas. Certains arrivaient vers moi, ils se plantaient raides comme des piquets juste devant moi, ils me regardaient bien comme il faut avec de grands yeux ronds et ils me disaient: «Hé, Monsieur, vous êtes bien laid!» Comme ça, bang! Et moi je riais parce qu'ils avaient bien raison. Ils étaient francs et spontanés, et ça, qui pourrait le leur reprocher?

Au moins, ils n'étaient pas comme toute cette race d'hypocrites qui me disaient: «Ça ne paraît pas.» Est-ce qu'on peut imaginer plus irritant, plus choquant que de se faire dire que ça ne paraît pas, quand on ressemble à ce que je ressemble? Qu'est-ce qu'ils s'imaginaient? Que je ne m'étais jamais regardé dans un miroir? Que je me trouvais beau? Ah, je les aurais étripés! Parfois, même, ils insistaient:

—Voyons donc, Yvon, ça ne paraît pas tant que ça, c'est toi qui t'imagines ça.

Tout ça sur le ton de la bonne maman qui gronde gentiment son petit qui fait un caprice!

Tandis que les enfants, eux, me demandaient: «C'est quoi que tu as eu, Monsieur? Pourquoi est-ce que tu es laid comme ça?» Alors, je leur expliquais du mieux que je le pouvais ce qui s'était passé, mon accident, mes opérations et mes greffes... Et quand ils savaient que j'étais un grand brûlé, ils me demandaient: «Est-ce que je peux toucher à ta main?» Parce que j'ai une main qui a été brûlée, alors sa peau est bien différente de celle de l'autre. Mais eux, ils n'étaient pas dégoûtés et ils ne pensaient pas que ma «maladie» allait leur sauter dessus comme la misère sur le dos du pauvre monde. Alors, je leur tendais la main et ils la prenaient dans les leurs. Et ils me disaient: «C'est bien doux.» Mais ils ne savaient à quel point c'était leur comportement à eux qui était doux à mon cœur.

10

Bien sûr, les choses ne se déroulaient pas toujours d'une façon aussi idyllique avec les enfants. En fait, je devrais dire avec les parents des enfants. Parce que c'était toujours eux la source des problèmes.

Il y en avait, de ces pères ou mères poules, qui interdisaient farouchement à leurs petits de me parler ou de me toucher. Des fois, je disais aux parents:

— Vous savez, votre enfant a une qualité que vous n'aurez sûrement jamais: il est vrai. Si un jour, vous arrivez à être aussi vrai que lui, vous allez voir comme vous allez vous sentir bien.

Ils étaient tout offusqués, ils prenaient des mines pincées ou des airs supérieurs et moi, je tournais les talons et je m'en allais.

Mais le pire, sans l'ombre d'un doute, c'était les adolescents. Ou plutôt, les groupes de jeunes de 15 ou 18 ans. Quand ils étaient seuls, ça ne posait généralement aucun problème. En fait, si on coupe les coins rond, on peut dire que généralement ils avaient deux sortes de réactions: tantôt, ils me regardaient et puis ils détournaient les yeux parce qu'ils étaient incapables de supporter ce qu'ils voyaient.

C'était une chose normale et tout à fait compréhensible. Tantôt, ils me suivaient un peu et je sentais bien qu'ils voulaient me parler, me poser des questions. Sauf qu'ils ne savaient pas comment m'aborder, ils étaient timides, mal à l'aise. Et ça aussi, inutile de le dire, je le comprenais parfaitement. Alors je m'arrêtais et je les regardais. J'essayais de leur faire comprendre par mon attitude que je savais qu'ils avaient du mal à savoir comment m'aborder, qu'ils ne devaient pas s'en faire. Et, plus souvent qu'autrement, ça marchait!

Ils venaient vers moi et ils me disaient:

— Est-ce que je peux te demander quelque chose? Est-ce que c'est un accident ou une maladie? Comment ça s'est passé au juste?

Et moi, je leur répondais. Les adolescents, lorsqu'ils sont seuls, c'est un vrai charme: ils sont gentils comme tout, ils sont la plupart du temps très polis, bref ils ne posent vraiment aucun problème. Sauf que les choses se corsent quand ils sont en groupe. À ce moment-là, ça peut devenir infernal.

Un jour, alors que j'étais au centre commercial, je vois au loin un groupe d'une quinzaine de gars et de filles. Je savais d'expérience qu'il pourrait bien y avoir des problèmes, mais je n'avais pas le choix: il fallait que je passe devant eux. Et puis, de toute façon, je n'avais pas à essayer de les éviter, j'avais au moins autant le droit qu'eux de me promener là. Alors, j'ai décidé de traverser la place.

Dans les «gangs» de jeunes, il y en a toujours un qui veut montrer qu'il est le chef, qu'il est meilleur que les autres, qu'il est Superman. C'est toujours comme ça, ça a toujours été comme ça depuis que le monde est monde. Le jeune homme avait envie de faire rire ses petits copains et là, il venait de trouver la victime idéale. C'était sans doute un bon petit gars, dans le fond, je ne lui en veux pas, je pense qu'il a été pris à son propre piège.

Juste au moment où je passais devant eux, il s'est levé et il a commencé:

— Ayoye! As-tu vu l'affaire qui se promène dans le centre d'achats? Hé qu'il fait dur! Y'est pire qu'un vrai monstre, j'ai jamais vu une patente comme ça. Pour moi, il jouait dans Frankenstein, ou bien y s'est échappé d'un cirque!

Et d'autres remarques intelligentes dans le même style. Il n'arrêtait pas de parler — de crier —, on aurait dit qu'il ne savait plus comment s'en sortir.

Les autres riaient. Ou du moins au début. Plus ça allait, plus ils riaient jaune, je m'en rendais bien compte. Le petit chef ne lâchait pas, il continuait à vomir ses insultes... Il se défoulait. J'étais certain qu'au fond, il avait hâte d'arrêter, qu'il aurait même souhaité sans doute ne jamais avoir commencé. Mais il n'avait plus le choix, il fallait qu'il finisse ce qu'il avait entrepris.

Moi, je continuais à avancer, en ravalant, en ravalant. Mais à un certain moment j'ai senti en moi monter la colère. Ça venait par bouffée, par vague, je me sentais comme un volcan qui se prépare à cracher sa lave. J'ai attendu qu'il soit tout près de moi, j'ai fait volte-face, et... Oh! Ça n'a pas été joli à voir.

Je l'ai saisi par le col et je l'ai écrasé contre le mur. Je pense que le p'tit gars a eu la peur de sa vie. Autant j'étais rouge autant il était blanc. Je me rappellerai toujours son regard complètement paniqué. Mais il n'y avait aucune place pour la pitié dans mon cœur à ce moment-là, juste pour de la rage. Je me souviens avoir été agréablement surpris de constater que j'avais encore beaucoup de force dans les bras: j'avais soulevé le petit insolent comme si de rien n'était. Il faut dire que la colère décuple les forces, mais je me rendais compte avec satisfaction que tous les exercices à l'institut n'avaient pas été faits en vain.

Il était complètement paralysé. Il avait peur. Il se rendait compte qu'il avait été trop loin et je crois vraiment qu'il était persuadé que j'allais le manger tout rond. Je voyais des larmes dans ses yeux. Alors, où était-il passé le petit *tough* ? Le grand chef? Le gros méchant? Au bout de mes bras, collé contre un mur de béton, il ne restait plus qu'un enfant terrorisé.

Voilà que les rôles étaient renversés! C'était moi, maintenant, le méchant. Et sur le coup, c'est vrai que je me sentais prêt à fondre sur lui comme un tigre! On était là, tous les deux, à se regarder droit dans le blanc des yeux, et on tremblait. Lui de peur, moi de rage. Le reste de la bande de jeunes nous regardait sans dire un mot. Je pense bien qu'ils étaient tout aussi impressionnés que leur chef. Ils n'en menaient pas large! Ils ne savaient pas du tout ce que j'allais faire. Je pense bien qu'ils ont sincèrement cru que j'allais le tuer!

Mais je me suis mis à décompresser. Je me disais: «Yvon, les nerfs...» Ça n'avait aucun sens, il fallait absolument que je me calme, parce qu'à un moment donné, je pense que moi aussi, j'ai cru que j'allais le tuer...

J'ai réussi à me calmer, à me maîtriser. J'ai relâché un tout petit peu mon étreinte — juste assez — , je l'ai bien regardé et je lui ai dit: «Écoute-moi bien mon jeune. Le jour où tu auras un enfant aussi beau que celui-là...», et je lui ai montré mon petit gars qui était avec moi. «Tu viendras me voir.» Et je l'ai relâché.

* *
*

J'en profite ici pour faire un petit aparté. Colette et moi, nous avions toujours rêvé d'avoir un garçon. Les médecins m'avaient déclaré invalide à cent pour cent et on s'était résolus à mettre une croix sur ce beau projet. Un an environ après l'accident, à l'époque où je rentrais les fins de semaine à la maison, un soir j'ai dit à ma femme: «Viens dormir avec moi, dans mon lit. Viens me rejoindre.» Elle a protesté: «Yvon, tu as encore trop mal, ça n'est pas raisonnable.»

Il faut dire que je subissais plein d'opérations à ce moment-là, j'étais plein de coutures, de pansements... J'ai insisté malgré tout: «Écoute, Colette, je voudrais juste sentir ta présence à mes côtés, ça fait trop longtemps qu'on n'a pas dormi ensemble... Viens.» Et elle s'est glissée dans mes draps.

C'est ainsi qu'elle s'est retrouvée enceinte. Ça l'a un peu inquiétée au début mais quand elle a vu ma réaction, tout s'est replacé. J'étais tellement heureux! Pas si mal pour un invalide, hein? Neuf mois plus tard, le 27 décembre 1985, elle accouchait d'un beau garçon en pleine santé. Nous avons décidé de le baptiser Jonathan.

* *
*

Toujours est-il, pour revenir à nos moutons, que le petit gars n'a pas demandé son reste et qu'il a vite pris ses jambes à son cou. Le reste de la bande a suivi.

Dès que j'ai eu réussi à retrouver mes esprits et à reprendre mon calme, j'ai tout de suite été mal à l'aise et j'ai regretté ma réaction. Le pauvre! J'y avais été fort. Il me faisait vraiment pitié parce que je savais que je l'avais traumatisé net. Il avait été pris dans son propre jeu, sans plus savoir que faire pour s'en sortir, et moi, je lui avais fait payer très cher ses stupidités. Mais il m'avait semblé tellement vulnérable et misérable quand je le tenais à bout de bras! J'aurais voulu le retrouver pour me réconcilier avec lui, lui dire que je ne lui en voulais pas, que tout était oublié, que je le comprenais. Mais c'était trop tard: il était déjà loin.

Je pense que j'avais retrouvé en lui le marginal que j'étais devenu; je savais qu'il souffrait et la souffrance, je ne la souhaite à personne. J'ai bien assez souffert moi-même pour ne surtout pas vouloir l'imposer aux autres, cette souffrance, en n'importe quelle circonstance, quels que soient les affronts que j'ai eus à subir et quels que soient les torts qu'on m'ait faits.

11

Toute cette période de réadaptation à la vie extérieure fut placée sous le signe de l'amour et de l'amitié. L'amour de ma femme et de mes enfants et aussi celui des membres de ma famille. Et l'amitié que m'ont sans cesse démontrée plusieurs de mes proches.

Il y a eu mon voisin Gilles et mon ami Guy dont j'ai déjà parlé. Deux de mes frères ont aussi joué un rôle important dans ma réhabilitation grâce à leur aide de tous les instants. Mon frère Jean en particulier. Il venait me rendre visite chaque semaine, il transportait ma femme, il gardait les enfants. Jean et son épouse n'ont vraiment pas ménagé leurs efforts et ils ne m'ont jamais lâché.

Il y a eu aussi ma sœur Évelyne et son mari, Jean-Pierre. Pendant cinq mois, mon beau-frère a conduit Colette à l'hôpital et puis l'a ramenée à la maison. Il habitait à Varennes et, après son travail, il partait de chez lui, venait prendre Colette ici, sur les bords du Richelieu, et il l'emmenait à l'Hôtel-Dieu de Montréal. Il a fait ça chaque jour pendant cinq mois. C'était pénible pour lui mais ça l'était aussi pour ma sœur qui restait seule à la maison avec ses enfants.

Ce sont des choses comme celles-là qui vous aident à reprendre goût à la vie. Quand je voyais tout ce dévouement, je me disais qu'il y avait encore des gens qui m'aimaient, comme avant, et ça m'aidait à voir la lumière au bout du tunnel.

Et puis il y a évidemment Marcel, mon frère qui travaillait avec moi à l'atelier, sans oublier sa femme et ses enfants. Tous ces gens sont restés très près de moi après l'accident, ce qui fait que j'ai réalisé que j'avais un monde à moi, un vrai monde, un monde réel. Pas un monde comme celui dans lequel je vivais avant l'accident — quand je travaillais comme un fou, quand je ne pensais qu'à faire de l'argent —, un monde artificiel dont les gratifications étaient tout aussi artificielles. Non, le monde qui me restait avait rapetissé, il s'était épuré. Ce qui me restait, c'était mon vrai monde.

* *
*

Au bout d'un certain temps, mon frère Marcel, à son tour, a décidé de «me sortir». Il venait me chercher pour que l'on aille manger dans les restaurants. Je n'étais toujours pas très chaud à l'idée de me montrer en public et les espaces clos comme les restaurants m'effrayaient encore beaucoup. Et pour ce qui était de passer inaperçus, il valait mieux oublier cela: le Marcel venait me prendre dans une rutilante Ford Sedan V8 de 1936, un vrai bijou de collectionneur...

Au début, je ne voulais rien entendre. Je lui disais qu'il était fou, que je ne voulais pas monter dans sa voiture et que je ne voulais pas aller au restaurant. Et pourtant, à chaque fois, il réussissait à me convaincre et à m'embarquer. Nous allions aussi parfois visiter des expositions de voitures anciennes, la passion de Marcel, mais la plupart du temps, nous allions manger en ville.

Je savais que je pouvais avoir confiance en Marcel et c'est pour ça que j'acceptais d'y aller avec lui. Il savait que si je devais me rendre aux toilettes, il devait m'y accompagner. Il savait aussi que si je craquais au beau milieu du repas, il faudrait qu'il laisse tout en plan et qu'il parte avec moi. Ça prenait vraiment quelqu'un qui soit très proche de moi pour que ces sorties soient possibles. Ça prenait Marcel.

Ç'a été la même chose avec mon copain Guy. Lui, il m'emmenait en Beauce. Parfois, on partait le matin, on s'arrêtait pour casser la croûte à Québec, et on revenait à la fin de l'après-midi. De bien belles journées et de bien belles balades! Il était prêt à revenir sur ses pas à tout moment si quelque chose n'allait pas. Ça ne le dérangeait pas du tout. Un jour, en revenant de Québec, on avait prévu de s'arrêter souper à Granby. Mais je ne me sentais pas en forme, je ne voulais pas me montrer en public. Il m'a dit:

— Tu n'es pas en forme? C'est pas grave, on rentre à la maison. On achètera un hamburger en chemin et on ira le manger chez moi.

C'était ça mes amis: des gens qui étaient prêts à

sacrifier une soirée, une fin de semaine, un repas au restaurant pour m'aider à m'accepter, pour me prouver que oui, la vie continuait.

Et c'est pour ça que je dis que je suis chanceux: même si j'ai souffert, même si j'ai eu à subir des épreuves, j'ai toujours eu du monde sur qui compter, des gens toujours prêts à m'aider. Et ça, c'est inestimable.

* *
*

Ç'a tout de même pris quatre ans avant que j'accepte de sortir seul. On dit que «l'enfer c'est les autres»? Moi je n'en suis pas si sûr. Je dirais même que dans mon cas, l'enfer était très personnel, en dedans de moi, niché au plus profond de mon être. Ce que je veux dire par là, c'est que les réactions éventuelles de rejet et de dégoût que j'attribuais aux autres étaient directement liées au fait que moi, je ne m'aimais pas et je ne m'acceptais pas. C'est pour ça que ça a été si long. Malgré tous les efforts de ma famille et de mes amis, malgré les progrès que j'accomplissais en ce sens, je ne parvenais pas à m'accepter complètement.

Aujourd'hui, c'est un peu plus facile. Je ne dirais pas que j'ai réussi à m'accepter complètement, mais je suis sur la bonne voie. J'ai parfois des rechutes. Quand je vais au restaurant, par exemple, encore maintenant il m'arrive de devoir partir en coup de vent parce que je sens que tout le monde me regarde. Je n'arrive pas encore toujours à prendre ça en philosophe. Mais la plupart du temps, j'arrive à me faire une carapace. Si je passe devant quelqu'un qui me regarde comme si j'étais un monstre débarqué d'une autre planète, je me dis: «Regarde-moi tant que tu veux, mon gars, que ça fasse ou non ton affaire, c'est comme ça. Mais ça ne m'empêchera pas de vivre.» Voilà où j'en suis rendu. Mais je sors encore très rarement tout seul.

* *
*

Je me dois aussi de raconter un épisode pas très glorieux dont je suis entièrement responsable. Je n'ai pas fait que des choses très brillantes dans ma vie et ça, c'était vraiment une grosse bêtise.

Un jour, je me suis levé avec l'idée bien arrêtée de me «tester». Je voulais connaître mes possibilités physiques, savoir où j'en étais rendu. C'était l'époque où j'étais revenu à la maison, mais ça faisait encore assez peu de temps que j'avais quitté l'Institut de réadaptation.

J'ai décidé de téléphoner à mon copain Guy. Je lui ai dit:

—Écoute, je sens qu'il faut que je mette mon corps à l'épreuve. Il faut que je fasse quelque chose de difficile pour voir si mes bras et mes jambes fonctionnent bien.

Lui, il ne se doutait de rien, il pensait simplement que je voulais passer une journée à l'extérieur, au grand air, et travailler un peu avec lui. Il m'a répondu:

— Ça tombe bien. Justement, quelqu'un m'a demandé si j'étais intéressé à acheter un verger à Saint-Paul d'Abbotsford. Il y a environ 250 ou 300 pommiers. Moi, je couperais tout ça pour en faire du bois de chauffage.

— Parfait, à deux ça va bien aller. Je vais acheter une tronçonneuse et on va faire ça en criant «ciseau».

C'est à ce moment-là qu'il a compris que moi je ne voulais pas me contenter de faire du tourisme! Dans mon esprit, c'était bien clair: je n'allais pas simplement le regarder faire, j'allais participer. D'ailleurs, je m'ennuyais du travail manuel et j'avais l'impression que bûcher quelques arbres me défoulerait beaucoup. Il a voulu me faire changer d'idée et il m'a dit:

— Non, Yvon, toi tu ne feras rien. Tu vas juste m'accompagner.

—Non, on va faire ça à deux.

Alors, malgré les protestations de ma femme qui poussait des hauts cris, qui me disait que c'était de la folie, nous l'avons acheté à deux ce fameux verger. Aussi bien Guy que Colette savaient que ça ne servait à rien de vouloir essayer de me faire changer d'avis. Elle me connaissait bien, ma Colette! Elle a fini par se résigner:

— Tu l'as dans la tête, je sais que de toute façon tu vas le faire...

Elle savait bien que rien ni personne ne pourrait m'empêcher de mettre mes projets à exécution.

Alors, nous sommes partis, Guy et moi, un beau matin, avec ma nouvelle tronçonneuse — mon nouveau joujou — pour bûcher. J'avais prévu que ça pourrait être difficile alors je m'étais préparé en conséquence. Je m'étais littéralement bourré de pilules contre la douleur en pensant que, comme ça, j'allais pouvoir tenir le coup.

J'avais l'impression d'avoir la situation bien en main, je me disais que j'allais me droguer juste assez pour pouvoir supporter la douleur mais sans aller trop loin. Je jouais à l'apprenti sorcier... Alors j'ai pris des pilules et nous sommes partis pour le verger.

Quand le bonhomme nous a vus arriver, il a regardé Guy d'une manière qui voulait dire: «Tu es malade, tu es complètement cinglé. Qu'est-ce que tu fais avec ce gars-là?» Guy lui a dit:

— C'est notre verger, ce n'est plus le tien. Tu n'as rien à faire ici, alors décampe.

L'homme a fini par s'en aller.

J'étais content de me retrouver sur une terre, avec tous ces arbres. Pendant un moment, je crois bien que j'ai oublié ma condition. J'allais me mettre à travailler, j'étais dehors, j'étais avec mon ami, bref je me sentais bien. J'ai été sortir la tronçonneuse du coffre de l'auto et j'ai essayé de la mettre en marche. Sauf que je n'y arrivais pas. Alors j'ai demandé de l'aide à Guy. Je lui ai dit:

— Guy, s'il te plaît, viens partir ma *chain saw*.

Je me rappelle qu'il avait l'air assis entre deux chaises: d'un côté, il était content d'être avec moi, comme dans le bon vieux temps, il était content de voir que je reprenais goût à la vie, que j'avais envie de sortir et de faire des choses. Mais d'un autre côté, il se demandait comment toute cette histoire allait se terminer. Il se doutait bien que ce n'était pas tout à fait raisonnable de me laisser manipuler une tronçonneuse. Surtout qu'avec toutes les pilules que j'avais avalées, je devais avoir l'air un peu bizarre... Il était donc un peu craintif, mais il l'a mise en marche et il me l'a donnée. Nous nous sommes mis au travail.

Ça n'a pas été long! En moins de dix minutes, ah!

mon Dieu... Les cicatrices de mes greffes se sont mises à s'ouvrir. J'avais l'impression de craquer de partout. Le sang pissait. Mais ça ne me faisait pas trop mal à cause de toute la drogue que j'avais ingurgitée. Alors, malgré tout ça, j'ai continué.

Nous étions partis à neuf heures et demie et nous ne sommes revenus chez Guy que vers quatre heures et demie l'après-midi. Quand Denise, la femme de Guy, m'a vu arriver dans cet état, elle est devenue pâle comme une morte. Je saignais de partout: du ventre, des épaules, des bras, du cou, de la figure... de partout. J'étais une plaie vivante. Toutes mes greffes s'étaient ouvertes. L'effet des médicaments commençait à faiblir et là, ça commençait à chauffer sérieusement.

Pour moi, le pire ça restait de penser aux réactions de ma femme et de mon docteur. Je n'en menais pas large, je vous jure. Denise, une fois remise du choc, a pris les choses en main:

— Tu ne rentres pas ici. Tu t'en vas directement à l'hôpital.

— Ça va aller, Denise, je me sens bien...

— Écoute-moi bien, Yvon Leduc, je t'ai dit: tu t'en vas tout de suite à l'hôpital.

Si la réaction de Colette me faisait peur, celle de mon médecin me paniquait franchement! Je ne voulais pas aller à l'hôpital, il n'en était pas question. Alors j'ai installé des vieilles couvertures sur le siège de mon auto pour ne pas tout salir et je suis retourné à la maison, pas très fier de moi, en me préparant mentalement à affronter Colette.

Chez moi, j'étais presque aussi bien équipé qu'à

l'hôpital. J'avais des pilules, des crèmes, du Neosporin, des gazes et des pansements. Tout ce qu'il fallait, quoi! Colette, une fois les sermons et la colère passés, s'est dévoué, comme à son habitude. Elle m'a soigné, m'a fait des pansements, m'a cajolé.

Je me disais: «Bon. Dans deux jours, je vais aller voir le Dr Papillon. Mais pas tout de suite parce qu'il va me tuer!» En attendant, je me suis couché très tôt et j'ai encore repris des pilules pour m'aider à dormir.

Le lendemain matin, quand Denise m'a vu arriver chez elle, elle a crié:

— Mais c'est pas possible! Il est encore plus fou que je ne le pensais! Il est encore ici ce matin, ça ne se peut pas!

—Ne t'inquiète pas ma Noire, je m'en vais juste bûcher un peu...

Et c'est très exactement ce que j'ai fait durant tout le restant de la semaine.

Après cette semaine de «travail aux champs», il a bien fallu que je me décide à aller à l'hôpital. Inutile de dire que j'y allais à reculons... Et comme il faut bien qu'il y ait une morale à toute bonne histoire, j'ai payé chèrement ma petite folie.

Oh, la, la! Qu'est-ce que je me suis fait engueuler! Ils devaient penser que j'étais complètement fou. Tout était à recommencer! Il a fallu que je retourne à l'hôpital, celui de Saint-Jean cette fois, pendant un mois et demi. On m'y a traité d'abord afin d'enrayer les infections, ensuite pour reprendre certaines greffes et aussi pour refaire de simples pansements ailleurs.

Au terme de ces traitements, j'avais regagné de la

mobilité et de la souplesse. Et à partir de là, à un rythme beaucoup plus raisonnable, j'ai repris le travail sur le verger avec mon ami Guy qui m'avait attendu. J'avais bien encore quelques difficultés, mais je sentais qu'une fois que tout serait guéri complètement, j'aurais encore plus de capacité pour entreprendre de nouveaux projets. Alors j'ai recommencé à travailler et c'est comme ça que j'ai pu reprendre de la force physique. Au lieu de prendre deux ans, ça n'a pris que six mois.

Je ne dis pas que tout le monde devrait tenter ce genre d'expérience, mais je pense qu'il y a eu du bon au fait que je teste mes limites, que j'essaie d'aller au bout de moi-même. Chacun est différent, mais moi, je suis le genre de gars qui aime prendre le taureau par les cornes. Que voulez-vous, je suis fait comme ça...

12

Quand je jette un coup d'œil à ma vie passée, je ne peux m'empêcher de me demander: «Qu'est-ce qui me faisait courir comme ça?» Autrefois, quand je travaillais, je ne voyais pratiquement jamais ma famille. Je voyais mes enfants à peine un jour par semaine. Des fois, je pouvais passer quinze jours complets sans les voir parce que je travaillais du matin au soir et la nuit aussi.

Aujourd'hui, mes enfants préfèrent de beaucoup la situation actuelle. Évidemment, ils regrettent l'accident, ça va sans dire, mais ils sont heureux d'avoir retrouvé leur père. Et moi, j'ai retrouvé mes enfants. Nous sommes tellement proches, maintenant. Je tâche de profiter pleinement et à chaque jour de cette nouvelle intimité. Je les élève enfin, mes enfants, je les vois grandir, je les vois changer et ça m'apporte énormément.

Quand un père ne voit pas ses enfants, il peut avoir beaucoup de difficulté à comprendre les problèmes de sa famille. Lorsqu'on travaille trop, c'est comme si on passait à côté de certaines choses. On se réveille un beau matin et on se rend compte qu'on ne connaît plus ses propres enfants. J'ai, d'une certaine façon, raté mon coup avec mes filles. C'est-à-dire que je ne les ai pas vues grandir lorsqu'elles étaient toutes jeunes. Mais je pense bien que j'ai su me rattraper par la suite. Avec Jonathan, mon gars, j'ai vécu tous les drames et les joies qu'il a connus depuis sa naissance. Maintenant, les enfants — tous mes enfants — sont toujours avec moi. Nous formons une famille vraiment très unie.

Mon accident, en modifiant ma façon de considérer l'existence, m'a fait prendre conscience de bien des choses et m'a fait profiter bien davantage de la vie. Ainsi, j'ai redécouvert la nature. Ma vie maintenant, c'est le bois, les fleurs, les arbres, les animaux. Chaque semaine, je m'arrange pour pouvoir aller en forêt au moins une fois. C'est dans les bois qu'aujourd'hui je me sens vraiment bien, que je me ressource, que je me retrouve. Quand je marche en forêt, je me sens en paix, je communique avec quelque chose que je n'arrive pas vraiment à définir mais avec quoi j'aime communier.

Quand je regarde la nature, je reçois toute une leçon de vie et je ne peux pas m'empêcher de faire certains parallèles avec mon propre cas. Quand je regarde une petite fleur qui réussit à pousser à travers l'asphalte d'une route, envers et contre tout, je ne peux que constater la force inexorable de la nature. Et je me dis que moi aussi, comme une fleur de macadam, je dois être assez fort pour pousser vers l'avenir, pour réussir à survivre et à me bâtir un bonheur. C'est la vie qui est la plus forte.

Voilà pourquoi être dans la nature m'apaise. L'hiver, je pars faire de longues randonnées en motoneige. Durant la saison morte, les bois revêtent une tout autre apparence, la nature se transforme, se métamorphose complètement. Mais j'ai appris à aimer l'hiver.

J'ai transporté aussi un peu de cette nature chez moi. Je me suis découvert une passion pour le jardinage. J'ai un grand potager où je fais pousser toutes sortes de beaux légumes et je fais également la culture des herbes aromatiques. Je plante des arbres sur mon terrain, je désherbe, je prends soin de la pelouse, tout ça m'occupe énormément.

Comme j'ai un ami qui cultive les fines herbes, je vais parfois lui donner un coup de main. Ça me force à sortir! Ainsi, je vais même de temps en temps faire des livraisons pour lui. Mon ami loue un camion, on le charge, et moi je pars faire la tournée de tous les centres de jardinage des environs. Le personnel commence à bien me connaître. Comme le camion n'a pas de vitres teintées et qu'il y a toujours foule dans ces pépinières, ça me permet d'achever de vaincre mes dernières résistances. Bien sûr, je ne fais pas ça très souvent; ça constitue beaucoup plus un passe-temps qu'un travail. De temps en temps aussi, pour dépanner un ami, je vais effectuer de petites réparations, de petits travaux; rien de bien sérieux.

Parce qu'il faut que je dise que, même après huit ans, parfois j'ai encore très mal. C'est d'ailleurs au printemps que les douleurs sont les plus vives. Il y a des jours où j'ai tellement mal que je n'arrive même pas à marcher. Ces périodes de crise peuvent s'étaler sur dix, quinze jours et même parfois trois semaines. Mon foie, par exemple, a été gravement atteint lors de mon accident. Alors j'en subis encore les séquelles. Mes doigts de la main droite ainsi que certains de mes muscles ont été aussi très endommagés. Toutes les cicatrices de ces nombreuses interventions chirurgicales restent et, quelquefois, elles se rappellent violemment à ma mémoire.

Lorsque le temps est humide, je suis généralement moins en forme. Même mon élocution en est affectée. Comme on a dû me refabriquer une corde vocale qui avait été brûlée, lorsque l'atmosphère est chargée de trop d'humidité, j'ai l'impression que l'air n'entre pas, j'ai toutes les difficultés du monde à respirer et ma voix est comme tout étouffée. On dirait que le son n'arrive pas à sortir. Tout ça me donne également des difficultés à ingurgiter ma nourriture... Pendant ces périodes, je dois faire différents exercices pour maintenir une certaine souplesse, une certaine élasticité à ma gorge et petit à petit les choses reviennent à la normale. Je m'y suis habitué avec le temps. C'est comme la fièvre des foins, ça revient tous les ans, ça dure un mois et puis ça passe. Après, je suis bon pour onze mois.

Mon équilibre arrière reste aussi encore précaire. Mais comme je m'y suis fait, ça me pose peu de problèmes. Récemment, alors que j'aidais un de mes frères qui se construisait un chalet d'été, j'ai reculé sans faire attention et j'ai marché sur une pierre que je n'avais pas vue. J'ai complètement perdu l'équilibre et je suis tombé de tout mon long. Mais avec moi, le problème c'est que quand je tombe sur le dos, je suis exactement comme une tortue: je suis parfaitement incapable de me relever tout seul! Il faut que je sois placé sur le ventre pour que je parvienne à remonter sur mes pattes! Je me rappelle d'une autre fois où je m'étais mis à travailler sous ma voiture. J'étais resté coincé là, sur le dos, pas capable de sortir. Mon frère a dû venir m'aider à me relever. Heureusement qu'il était là!

Quand ces incidents-là arrivent, j'avoue que ça me vexe. Pas tellement parce que je suis obligé de demander de l'aide, mais surtout parce que je m'en veux de m'être fourré dans de telles situations. Voilà, en gros, où j'en suis, physiquement parlant. Mes difficultés sont de cet ordre-là. Quand je regarde par où je suis passé, je me dis qu'un bon bout de chemin a été accompli.

* *
*

À l'intérieur, je me sens bien; j'ai le goût de vivre, je me sens enthousiaste, je me suis réconcilié avec moi-même. Et je pense que ma foi en Dieu m'a beaucoup aidé à atteindre cette sérénité. J'ai toujours été croyant. J'ai reçu une éducation catholique et j'ai toujours été pratiquant. Les gens me demandent souvent si le fait d'avoir subi un tel accident m'a donné envie de rejeter Dieu, de me révolter contre Lui. Je vais essayer de m'expliquer là-dessus.

J'ai toujours voulu laisser Dieu en dehors de tout ça. Je n'ai jamais voulu L'impliquer dans mon accident. À aucun moment. Durant les périodes les plus noires, les jours où la douleur était la plus intense, la moins supportable, durant les temps où mon moral était au plus bas, jamais je n'ai eu ne serait-ce que la seule tentation de me révolter contre Lui.

Je me disais: «Je ne vois pas pourquoi je blâmerais quelqu'un pour ce qui est arrivé. Que ce soit sur la terre ou ailleurs...» Par contre, quand je m'en suis sorti, je Lui ai rendu grâce; je L'ai remercié de m'avoir permis de trouver en moi la force nécessaire à ma guérison.

Je trouve puérile l'attitude de ceux qui s'empressent de blâmer Dieu quand un malheur leur tombe dessus. Pour moi, Dieu ce n'est pas celui qui punit, celui qui envoie des châtiments sur le pauvre monde... Les histoires d'un Dieu vengeur qui crée les épidémies, le cancer ou le sida pour châtier l'humanité, je ne crois pas à ça du tout. Dans ma tête, Dieu c'est tout le contraire.

Dieu, c'est la miséricorde, l'espoir et la régénération. Dieu, c'est Celui qui permet à la sève de monter dans les arbres à chaque printemps, c'est Celui qui permet aux forêts de repousser après les incendies. Dieu, c'est la force qui m'a habité pendant ces longues années où j'ai dû lutter pour renaître au monde.

Et cette force qui m'habite encore, j'ai décidé d'essayer de la partager avec d'autres. J'ai décidé de faire tout en mon possible pour aider ceux qui passent par où je suis passé. Voilà pourquoi je fais partie de l'association Brulam.

Brulam, c'est une association à but non lucratif qui vient en aide aux grands brûlés. Mon rôle consiste à aller rendre visite aux grands brûlés à l'Hôtel-Dieu. Je rencontre les gens, je discute avec eux, je les écoute, je leur explique certaines choses. Comme je suis passé par là où ils passent, ils accordent une certaine crédibilité à ce que je leur raconte. Et j'essaie toujours de leur donner l'heure juste. Ils préfèrent se fier à ce que moi je leur dis plutôt qu'aux pronostics de leur médecin.

Je ne veux pas dire que les médecins disent n'importe quoi, mais eux, ils n'ont jamais vécu cet enfer. Ils ne savent pas les souffrances que l'on doit endurer. Ils ne savent pas la détresse morale dans laquelle on se retrouve plongé. Ce sont des professionnels dont le quotidien est constitué de la douleur des autres. Ils y sont habitués, ils s'y sont insensibilisés. Et c'est normal. En plus, ils ont tendance à vouloir dédramatiser les situations. À tort ou à raison.

Moi, quand je vais voir un grand brûlé, je ne lui dirai pas: «Ça n'est pas grave, dans six mois tu vas être un homme neuf, ne t'inquiète pas, c'est une affaire de rien.» Non. Il faut que je sois franc. Selon l'état dans lequel la personne que j'ai en face de moi se trouve, je lui dirai: «Ça peut prendre un an ou deux, et peut-être même plus, mais tu vas arriver à t'en sortir.»

Si le patient me dit: «J'ai mal, ça me brûle, ça me démange partout... Ils me disent que ça ne sera pas long, que ça va bientôt se calmer», je vais prendre le temps de lui expliquer toutes les étapes de la guérison. Je vais lui expliquer qu'il faut qu'il soit patient, qu'il laisse le temps faire son action. Je lui dis que le moral, ça représente au moins 80 pour cent de la guérison. Plus on est déprimé, plus lente est la guérison; plus on est optimiste, plus on a de chances de s'en sortir rapidement. Et ça, ce n'est pas une légende: la médecine le reconnaît depuis longtemps maintenant et moi, je l'ai constaté à bien des reprises.

Mais je ne m'y trompe pas: toute l'aide que je peux

donner à ces brûlés, je la reçois en retour. En fait, je dirais que je suis payé au centuple. Parce que quand j'aide quelqu'un à s'en sortir, selon mes modestes moyens, c'est aussi moi que j'aide. Je me dis que je sers à quelque chose, que je suis utile. C'est très important pour moi de sentir que ma vie d'adulte actif et productif n'est pas morte et enterrée. Ça me redonne confiance en moi-même, ça me revalorise.

En plus, je suis tellement heureux quand je constate que le patient souffre moins et qu'il va arriver à s'en sortir. C'est drôle, mais parfois j'ai l'impression que c'est comme si je leur volais un peu de bonheur... Les gens que je vais visiter pensent que je ne fais ça que pour les aider, que c'est une démarche complètement altruiste, mais ils se trompent: ils m'apportent au moins autant que ce que je peux leur apporter.

Voilà maintenant cinq ans que je me suis engagé dans l'association Brulam. J'en suis même devenu un des directeurs et j'en suis très fier. Cette implication m'aura permis de me donner à fond dans une cause à laquelle je crois et dont je sais qu'elle est vraiment utile. Ça n'a pas de prix.

13

L'an dernier, un de mes petits cousins a été gravement brûlé lors d'un incendie à la compagnie CIL de Belœil. Il a subi de très sérieuses brûlures au corps mais, heureusement pour lui, son visage a été presque complètement épargné.

Il était tout de même dans le coma quand ses parents m'ont appelé. Je savais qu'il n'avait ni femme ni enfants et je savais d'expérience à quel point il est important d'avoir le soutien de sa famille. Moi, si ça n'avait été de Colette et des enfants, je ne sais pas du tout si je m'en serais sorti. Quand on est seul dans la vie, je veux dire célibataire sans attaches, on a moins de raisons de s'accrocher, on a moins de raisons de vivre, moins de force.

Quand je suis arrivé à l'Hôtel-Dieu et que j'ai rencontré ses parents, j'ai tout de suite compris que la partie n'était pas gagnée d'avance. Ils étaient dans un tel état! Sa mère, surtout, était complètement catastrophée. Son père, lui, était comme prostré, incapable de réagir. Je me suis dit que j'aurais du travail.

Ils étaient en larmes. Sa mère m'a dit:

— Il n'y a plus rien à faire. Il est peut-être mieux de l'autre côté...

Je me suis assis devant elle, je l'ai regardée bien en face, et j'ai commencé à lui parler, en prenant bien mon temps, en appuyant bien sur certains mots, en m'assurant qu'elle comprenait bien le sens de mes paroles.

— Avant que vous n'alliez voir Richard, il y a une chose que je tiens à vous dire. C'est très important, alors écoutez-moi bien. Si vous restez dans cet état d'esprit, si vous vous découragez, si vous lancez la serviette, il ne reviendra pas. Ne me demandez pas de vous expliquer pourquoi ni comment, j'en serais bien incapable, mais je vous jure que même s'il est dans le coma, il comprend certaines choses. Non, il les ressent. Si vous abandonnez tout espoir de le voir s'en sortir, il va arrêter de lutter, il va se laisser partir. Croyez-moi, ce que je dis-là je l'ai vécu, je sais que c'est vrai. S'il ne ressent pas assez d'amour, s'il sent que vous n'êtes pas prêts à accepter sa condition, tout ce qu'il vit actuellement et tout ce qu'il devra vivre plus tard, il ne s'en réchappera pas. Même s'il est dans le coma, même si vous pensez qu'il n'est plus tout à fait là, il faut que vous sachiez qu'il comprend toutes ces choses.

Son cœur était atteint, sa pression était très basse, il était vraiment amoché. Mais j'avais foi en sa guérison, je savais qu'il pourrait s'en sortir. Sauf que je savais aussi que ça n'irait pas tout seul et qu'il aurait besoin de toute l'aide disponible. Avant de les laisser, j'ai ajouté:

— Il faut que vous lui donniez de l'amour. Beaucoup d'amour. Autant d'amour que votre cœur est capable de donner. Il faut qu'il sache que vous êtes prêts à tout donner, à tout sacrifier pour qu'il revienne.

Je suis très heureux de pouvoir dire qu'aujourd'hui, Richard s'en est très bien sorti. Il a même donné une ou deux conférences, il s'est occupé de Loto-pompiers, une loterie organisée pour amasser des fonds dans le but de venir en aide aux grands brûlés, et il est retourné vivre chez lui. Et je pense que l'attitude de ses parents a contribué pour beaucoup à sa guérison. Ils se sont montrés positifs, pleins d'espoir et de dynamisme, ils ont fourni un appui de tous les instants à Richard pendant son hospitalisation et sa réadaptation, ils ont démontré beaucoup de courage. Et le courage et l'optimisme, qu'est-ce que vous voulez, c'est contagieux!

* *
*

Les gens ne se doutent pas à quel point il y a beaucoup de grands brûlés. Il faut dire que nous ne sommes pas encore un sujet à la mode! On ne fait pas beaucoup de publicité sur nous. Il faudrait pourtant que tout le monde réalise qu'il n'y a peut-être que dix pour cent des grands brûlés qui osent se promener dans la rue, qui sont visibles, si j'ose dire.

Alors ça veut dire qu'il en reste 90 pour cent qui vivent cachés, qui se terrent, qui n'arrivent pas à se résoudre à mener une vie publique et normale, qui ne parviennent pas à se réhabiliter socialement. Nous, chez

Brulam, on a même du mal à leur faire accepter de venir aux réunions de l'association. C'est vous dire!

J'ai donc décidé d'accepter d'aller participer à des émissions de télévision. Je peux vous assurer que ça n'a pas été facile. Mais je pense que ça en a décidé certains à sortir. Ils ont dû se dire que si moi, avec la face que j'ai, j'ai accepté d'affronter les caméras, eux ils pouvaient bien sortir faire des emplettes! Là, ils sont confrontés à quelque chose de bien concret: ils voient que j'accepte de sortir; ils voient que mon visage a été complètement refait, que je porte une perruque et des lunettes. Si je n'avais pas accepté de tourner ces émissions de télé, ils auraient eu beau jeu de me dire: «Tu veux que nous sortions, tu veux qu'on s'accepte, mais toi, tu as refusé de participer à l'émission de télévision. Ouais, ouais, Leduc, t'es fort sur les bonnes paroles mais en réalité...»

J'ai donc été en quelque sorte forcé de me mettre en avant, de devenir une sorte de porte-parole des grands brûlés, et encore une fois cette situation a énormément contribué à mon auto-acceptation. Une fois de plus l'aide que je pouvais donner s'est transformée en aide que je recevais. Comme un boomerang!

* *
*

Un autre aspect de mes fonctions chez Brulam consiste à aller prononcer des conférences dans les cégeps et les écoles secondaires. J'adore ça. J'aime les jeunes, la jeunesse, les adolescents, je les trouve stimulants, rafraîchissants. Évidemment, parfois, il y a des situations où ils peuvent se montrer pénibles (je fais allusion à l'incident au centre commercial dont j'ai déjà parlé), mais ce sont des incidents isolés qui n'impliquent qu'une seule catégorie de jeunes. Vraiment, règle générale, je les trouve parfaits. De toute façon, ceux qui viennent assister à mes conférences sont là parce qu'ils sont intéressés à apprendre quelque chose; ils ne viennent pas pour chahuter et pour faire les fous.

Mes causeries dans les cégeps n'ont qu'un seul but: prouver à des jeunes gens et des jeunes filles aux prises avec les problèmes propres à l'adolescence que tant qu'il y a de la vie, il y a de l'espoir. J'essaye de leur démontrer qu'on peut, à force de volonté, se sortir de tous les mauvais pas, qu'on peut arriver à vaincre la déprime et le mal de vivre. Et je vous assure que quand ils me voient arriver, ça les aide à relativiser leurs problèmes d'acné juvénile!

Vous savez, il y a beaucoup de suicidaires chez les adolescents. Alors je leur explique que moi aussi je suis passé par là, que j'ai eu la tentation de mettre fin à mes jours, que j'ai presque mis mes projets à exécution, mais que finalement je m'en suis sorti. Je leur raconte ma tentative de pendaison à l'hôpital et puis aussi cette autre fois, environ un an et demi après la naissance de mon fils.

J'avais sombré dans une période de dépression. J'étais dans le noir, la vie n'avait plus aucun sens, je n'en pouvais plus. Me regarder dans le miroir me rendait fou, j'étais incapable de supporter l'image qu'il me renvoyait... vraiment, j'étais au plus bas. Je me suis dit:

«J'ai fait un bon bout, j'ai tout essayé, je me suis donné la chance de voir comment ça irait. J'ai donné le maximum, mais là j'en peux plus. Je préfère m'en aller.»

C'était la nuit, il devait être à peu près deux heures du matin, et j'ai décidé qu'il valait mieux pour tout le monde que tout ça finisse. Dans ces moments-là, on trouve toutes sortes d'excuses: on se dit qu'on va libérer notre famille, qu'au fond on pose un geste presque chevaleresque. On se trouve vraiment n'importe quelle excuse, on s'invente vraiment n'importe quelle histoire. En tout cas, une chose est sûre: je voulais mourir.

Tout le monde dormait. Je me suis dit que je prendrais la voiture et que j'irais jusqu'au bout du rang. Là où la route finit, il y a un poteau. Je me disais qu'à 150 kilomètres-heure, j'étais certain de ne pas me rater en frappant le poteau en plein centre. Et puis je me disais que c'était presque devenu une tradition dans la famille que de mourir au volant de son automobile...

Je suis allé dans le garage, je suis monté dans mon auto, j'ai mis le contact et j'ai reculé jusqu'au chemin.

J'ai d'abord roulé en sens inverse pour pouvoir prendre mon élan. Lorsque je suis repassé devant chez moi — j'allais déjà très vite — j'ai vu que les lumières de la maison étaient allumées. J'ai même eu le temps d'apercevoir mon petit garçon qui avait le nez collé dans la fenêtre du salon. À partir de là, les événements se sont bousculés dans ma tête. Un peu à la façon des gens qui se noient et qui, en une fraction de seconde, revoient le film de toute leur existence. Quand j'y repense, c'est comme si le monde avait arrêté de tourner, c'est comme si j'avais vécu une éternité immobile.

J'ai pensé: «Mais qu'est-ce que je suis en train de faire?» Je voyais mon petit garçon. Je me disais: «J'ai mon gars qui est là. Tout ce que j'ai jamais désiré dans la vie. Il est là qui me regarde. Il ne verra pas son père se tuer. Ça jamais.»

J'ai pesé lourdement sur la pédale de freins. C'était comme si j'avais reçu une bonne paire de claques en pleine figure. C'était comme si, brusquement, je dessoûlais. Je revenais à moi.

Et à cet instant très précis, j'ai fait le serment que plus jamais, quoi qu'il puisse arriver, je n'envisagerais une telle chose. J'ai pris la résolution que peu importe les circonstances, coûte que coûte, j'allais vivre. J'ai roulé tranquillement jusqu'à chez moi après avoir fait demi-tour. J'ai emprunté l'allée qui mène au garage dont j'avais laissé la porte ouverte et j'ai immobilisé tout doucement l'auto.

Quand je suis rentré dans la maison, mon fils était là, debout, à m'attendre. Il m'a simplement dit:

— Tu es revenu.

Il n'avait pas deux ans, mais je jure qu'il savait parfaitement, qu'il avait compris que je partais pour me suicider. Et de la même façon, il avait aussi compris que je ne le ferais pas, qu'il n'y avait plus rien à craindre, que son père était revenu pour de bon.

Colette se tenait appuyée dans l'embrasure de la porte, toute pâle, l'air défait. Elle me regardait. Tout ce que j'ai réussi à articuler, c'est:

— Ne t'inquiète pas, c'est fini. C'était une connerie, mais c'est fini. Je te le jure.

* *
*

Alors, quand je raconte ça aux jeunes, je leur explique: «La vie, parfois, c'est bien dur. Ça peut arriver qu'on se dise qu'il n'y a plus de solution. On a l'impression d'avoir tout essayé, on pense vraiment qu'il n'y a plus d'espoir. Mais on se trompe. On peut toujours réussir.»

«C'est incroyable de penser aux joies que la vie nous réserve. Il ne faut pas les manquer. On n'a pas le droit de se priver du bonheur de voir la nature, les arbres qui bourgeonnent au printemps, les animaux, les fleurs... Voyons donc! La nature, elle donne sans compter: elle donne la richesse, elle donne le pouvoir, elle donne la force. Et quand on observe bien comme il faut la nature, on peut voir un arbre tout tordu, pris dans la vase et qui pousse au travers des roches. Si la nature peut le faire, on peut le faire aussi.»

«La vie, c'est un cadeau. Un cadeau merveilleux et irremplaçable qui ne doit pas se refuser.»

* *
*

Voilà, c'est l'essentiel de mon message. J'ai la prétention de croire que mes conférences ont aidé et aident des jeunes à s'en sortir. J'espère maintenant que ce livre atteindra le même but et qu'il permettra d'insuffler un peu d'espoir à tous ceux qui en ont besoin. Je voudrais juste qu'après avoir lu ces lignes, tous ceux qui sont plongés dans la déprime et qui pensent que la vie ne vaut pas la peine d'être vécue prennent le temps de s'arrêter un peu et de réfléchir.

Nous, chez Brulam, nous avons adopté un symbole: le Phénix, cet oiseau mythologique qui renaît de ses cendres. Mais pas besoin d'être un grand brûlé pour pouvoir renaître. À force de volonté, de courage et d'optimisme, tout le monde, sans exception, peut à son tour devenir un Phénix et s'envoler vers l'avenir.

Ce qu'on a été, c'est une chose sur laquelle on ne peut pas revenir, c'est une affaire classée. Mais c'est à nous, et à nous seuls, de décider de ce que l'on sera. C'est nous qui fabriquons notre avenir.

Je dédie ce livre à tous ceux qui décident de retrousser leurs manches et qui choisissent de s'attaquer à bâtir leur destin. La balle est dans leur camp: à eux de réussir leur vie.

14

À propos de Brulam

Brulam, c'est l'Association québécoise pour le bien-être des brûlés. Le nom de notre association se décompose ainsi: le préfixe «Brul» signifie, bien sûr, brûlure et, par extension: personnes brûlées, grands brûlés.

Le suffixe «Am» ne signifie pas Amérique, comme certains le croient souvent, mais bien plutôt: amitié. Mais c'est aussi l'évocation du fait qu'être brûlé (brul), c'est être atteint jusqu'à son âme (am).

L'Association québécoise pour le bien-être des brûlés vise des objectifs humanitaires tout en étant une organisation à but non lucratif. Créée en 1982 sous l'impulsion de la mère d'un jeune enfant brûlé, Brulam compte aujourd'hui quelque 100 membres. Tous n'ont qu'un seul but en tête: améliorer les conditions de vie des personnes brûlées.

L'Association québécoise pour le bien-être des brûlés se porte à la défense des droits de ces personnes. Elle fait également la promotion de leurs intérêts au sein de la société. Ses membres partagent bénévolement toutes leurs connaissances ainsi que leurs expériences les plus personnelles.

Chez Brulam, nous sommes bien conscients que la victime de brûlures doit apprendre à réintégrer le monde une fois le choc initial passé. L'Association québécoise pour le bien-être des brûlés est là pour l'accueillir. Un simple signe suffit!

L'Association québécoise pour le bien-être des brûlés offre son aide à tous ceux qui ont subi de graves brûlures. D'abord, elle tend une oreille attentive. Ensuite, elle propose une approche chaleureuse.

Selon ce que le patient recherche, quelqu'un l'orientera dans ses démarches après l'hospitalisation s'il se sent déboussolé. Quelqu'un l'écoutera s'il ne souhaite que parler. Quelqu'un lui écrira si c'est le type d'échange qu'il privilégie. Quelqu'un le rencontrera si c'est ce qu'il désire. Quelqu'un lui présentera le groupe si telle est sa volonté.

Tous n'ont pas les mêmes besoins, évidemment. Mais le but premier de l'association est d'aider les gens à se regrouper. Ainsi alliés dans un même but, l'entraide se crée, naturellement... C'est alors que chacun est libre de voler de ses propres ailes.

Si vous voulez en savoir plus sur Brulam ou si vous voulez contribuer, par vos dons, à nous encourager, voici l'adresse où vous pouvez nous rejoindre:

BRULAM
Association québécoise pour le bien-être des brûlés
2120, rue Sherbrooke Est, bureau 207
Montréal H2K 1C3
Tél.: (514) 674-9764

Il existe aussi une association qui poursuit les mêmes buts, Flam, et qui se dévoue auprès des grands brûlés de la région de Québec. Voici ses coordonnées:

FLAM
C.P. 1311, Terminus
Québec G1K 7E5

Achevé d'imprimer
en octobre 1992
sur les presses de
Imprimerie H.L.N. Inc.

Imprimé au Canada — Printed in Canada